D1633246

Virginia Vail

L'Arche de Noé
Copains comme cochons

Traduit de l'américain par Claude Voilier

Illustrations de Jean-Louis Henriot

Hachette

L'ÉDITION ORIGINALE DE CE ROMAN
A PARU CHEZ SCHOLASTIC INC., NEW YORK,
SOUS LE TITRE :
ALL THE WAY HOME

Hachette, 79, boulevard Saint-Germain, 75006 Paris.

1

« Et voilà, monsieur Radford ! Vous pouvez reprendre Prince. Il est guéri. »

Val Taylor, tenant le chien en laisse, avait bien du mal à l'empêcher de bondir sur son maître. La blessure à sa patte, qui l'avait fait boiter, n'était plus qu'un mauvais souvenir. Aujourd'hui, le boxer, en pleine forme, était aussi fringant qu'un chiot.

M. Radford prit la laisse des mains de Val, caressa la tête de Prince et lui ordonna de s'asseoir.

« Merci, Val. Et remerciez aussi votre père. J'avais bien peur que ce vieux Prince reste boiteux jusqu'à la fin de ses jours. Dites au docteur Taylor qu'il est le meilleur vétérinaire de Pennsylvanie... peut-être même de tous les Etats-Unis.

— Je suis de votre avis, monsieur Radford, répondit Val, souriante. Et comptez sur moi pour faire la commission. »

Elle accompagna le chien et son maître jusqu'à la porte de l'*Arche de Noé* et les regarda s'éloigner. Les louanges de M. Radford l'enchantaient. Val était très fière de son père. Elle espérait de tout son cœur devenir plus tard vétérinaire elle aussi et soigner les animaux malades ou blessés avec autant d'adresse.

Bien sûr, cela prendrait du temps. Le chemin à parcourir serait rude.

En attendant, elle s'instruisait en travaillant aux côtés de son père plusieurs jours par semaine, après la classe, et le week-end.

« Dis donc, Val ! Il s'agit de nettoyer en vitesse. J'ai pas mal de boulot qui m'attend à la maison ce soir ! »

Toby Curran, autre jeune assistant du docteur et l'un des meilleurs amis de Val, venait d'entrer dans la salle d'attente, muni d'un seau et d'un balai. Prince était la dernière consultation de la journée et il était temps de laver le plancher et les bancs.

« D'accord, Toby ! »

Val réprima un bâillement, s'étira, puis s'empara du balai. Elle avait eu une dure journée à l'*Arche de Noé* et se sentait fatiguée. Mais elle savait que le nettoyage, tout autant que les soins aux animaux, faisait partie de son travail. Ce n'était certes pas une besogne agréable, mais elle était indispensable.

« Je me charge de laver par terre, dit-elle. Occupe-toi des meubles. »

Toby prit l'éponge qu'elle lui tendait et se mit en devoir de frotter les bancs et les tables, tandis que son amie lavait le sol.

« Drinnn... Drinnn... ! »

Sur le bureau de la réceptionniste, le téléphone sonnait. Val jeta un coup d'œil à sa montre. Cinq heures et quart. Lá clinique vétérinaire fermait à cinq heures. Il fallait que ce soit une urgence... Val abandonna balai et seau pour aller répondre.

« Bonjour ! Ici l'*Arche de Noé*. Que puis-je pour votre service ?... Ah, c'est vous, monsieur Pollard. Ici, Val... Oui, le docteur est encore là. Que se passe-t-il ?... Oh, mon Dieu, je suis désolée. Tous, dites-vous ?...

— Qu'est-ce qui ne va pas ? » demanda Toby.

Val couvrit de sa main l'appareil et expliqua :

« C'est Sadie, la truie primée de M. Pollard. Ses petits sont... Oui, monsieur Pollard, je vous écoute. Oui, j'inscris ce que vous me dites. Sadie a eu une portée de dix porcelets il y a six semaines et maintenant ils ont tous la respiration difficile et mangent moins. Sadie va bien mais ses petits semblent vraiment mal en point...

Oui! Comptez sur moi! Je vais le prévenir.»

Elle ouvrit le carnet de rendez-vous du vétérinaire.

«Non. Il n'a pas d'autre visite aujourd'hui. Nous serons à votre ferme dans environ une demi-heure. Cela vous convient? Parfait! A tout à l'heure!»

Elle raccrocha.

«Les petits de Sadie sont malades? s'enquit Toby.

— Tu as entendu. Ils respirent mal et ont perdu l'appétit. M. Pollard craint qu'ils ne meurent. Il faut aller là-bas tout de suite. Je vais avertir papa.

— Tu pourras l'accompagner. Je finirai de nettoyer. Du reste, Mike sera là d'une minute à l'autre; il me donnera un coup de main.»

Mike Strickler, le veilleur de nuit de la clinique, était un homme d'un certain âge, habile à tous les travaux.

Val passa dans le cabinet de consultation où elle trouva son père en train de se laver les mains.

«Papa! Je viens de recevoir un appel de Luke Pollard. La dernière portée de Sadie ne va pas fort du tout. Il voudrait que tu ailles là-bas d'urgence.»

Le docteur soupira.

«Très bien. Prépare ma trousse, Vallie, et va m'attendre à la camionnette.»

Quelques minutes plus tard, Val et son père, assis côte à côte dans le véhicule, roulaient à bonne allure sur la route d'York.

« A ton avis, demanda Val, les petits de Sadie... qu'est-ce qu'ils peuvent bien avoir ?

— Impossible de te répondre avant de les avoir vus ! Luke Pollard est un bon fermier et un éleveur qui connaît son métier. Il n'appelle jamais sans de bonnes raisons. Peut-être est-ce un cas de B.B.

— B.B. ? Ça veut dire quoi ?

— *Bordetella broniseptica*, expliqua le docteur. C'est une affection respiratoire que les porcelets attrapent quelquefois surtout quand ils sont aussi jeunes que ceux de Sadie. Quand les poumons sont touchés, cela peut dégénérer en pneumonie. Je m'étonne pourtant que les petits cochons de Pollard en soient atteints. C'est la première fois que cela arrive.

— Vont-ils mourir ?

— Pas forcément. Espérons que Pollard nous aura contactés à temps. Mais la maladie est très contagieuse. S'il y a d'autres portées à la ferme, elles risquent d'être en danger. »

Val se mordit les lèvres, espérant que son père pourrait sauver les porcelets. Sadie était une bête sensible et Val devinait qu'elle serait grandement perturbée si ses petits mouraient.

Le fermier les attendait dans la cour. Il semblait inquiet.

« Par ici, docteur ! » Il regarda Val et sourit. « Je vois que vous avez amené votre aide. Comment va, Vallie ?

— Très bien, merci, monsieur Pollard. »

Val suivit les deux hommes jusqu'à l'enclos de Sadie. La grosse truie était allongée sur une litière de paille fraîche et propre. Dix petits cochons dodus se blottissaient contre elle... ou plus exactement neuf dodus et un autre qui ressemblait à un minuscule avorton. Toutes ces pauvres bêtes respiraient avec difficulté. Sadie, comme si elle comprenait, n'avait pas l'air très heureuse.

« Je n'arrive pas à comprendre de quoi ils souffrent, docteur, soupira M. Pollard. Je n'ai jamais eu ce genre de problème auparavant. »

Le vétérinaire entra dans l'enclos et commença à examiner les petits cochons. Val s'agenouilla près de lui, caressant les petits ventres rebondis. Les porcelets n'arrêtaient pas de renifler et de tousser. Val les plaignait beaucoup, surtout le plus petit. Il semblait si chétif que l'on avait peine à croire qu'il survivrait à la maladie. M. Pollard s'inquiéta :

« Ce n'est pas une pneumonie, n'est-ce pas ?

— Pas encore, répondit le docteur en hochant la tête. Mais cela pourrait le devenir. Heureusement que vous m'avez appelé sans attendre. Vallie ! Passe-moi dix seringues hypodermiques et les antibiotiques. Nous allons faire une piqûre à chacun de ces petits gorets. »

Val se dépêcha d'obéir à son père.

« Si je ne savais pas le soin que vous prenez de vos porcs, continua le vétérinaire, je dirais que l'infection vient de la poussière de l'air, ou de l'humidité de la soue, ou du surpeuplement de vos enclos. Mais, vu les conditions de salubrité de votre élevage, je pense qu'un autre animal leur a transmis le microbe. Avez-vous d'autres cochons malades, Luke?

— Que non! Tous aussi bien portants qu'ils peuvent l'être. Comme vous venez de le dire, docteur, je fais très attention à l'hygiène. J'ai vu des maisons moins bien tenues que les soues de ma ferme. Les gens s'imaginent que les porcs sont des animaux malpropres. Ils se trompent. L'été, s'ils se roulent dans la boue, c'est uniquement pour se rafraîchir. Ils supportent mal la grosse chaleur. Non, ces cochons-ci sont les seuls malades de tout mon élevage. »

Comme Val tendait à son père une autre seringue, un petit chat noir se glissa dans l'enclos.

« Comment s'appelle ce chat, monsieur Pollard? demanda-t-elle. C'est la première fois que je le vois.

— Oh, c'est Minuit. Un chat perdu. Il est arrivé un beau jour et s'est installé dans ma grange. Il aime bien mes cochons. »

Comme pour lui donner raison, Minuit se faufila parmi les porcelets et se coucha entre les deux plus gras.

« Au fond, continua le fermier, je me demande si ce n'est pas la chaleur qui l'attire, plutôt que les petits cochons. Je

tiens cette grosse ampoule allumée la plupart du temps pour éviter que mes bêtes ne prennent froid.

— Ce chat a cependant attrapé un

rhume», déclara Val qui avait remarqué que les yeux et le nez de l'animal coulaient.

Levant la tête, le vétérinaire lâcha le porcelet qu'il venait de soigner et se tourna vers sa fille.

« Val ! Fais-moi passer ce chat, s'il te plaît.

— Tiens, le voilà ! dit-elle en le tendant à son père. Vas-tu lui faire une piqûre à lui aussi ? »

Le docteur examina les yeux du petit félin, puis, tirant un instrument de sa trousse, entreprit de lui inspecter les oreilles.

« A présent, j'en suis certain, murmura-t-il. Luke, je crois que nous tenons le coupable.

— Que voulez-vous dire ? demanda le fermier, intrigué.

— C'est sans aucun doute Minuit qui a contaminé vos porcelets et non le contraire. En effet, vos cochons sont bien soignés tandis que ce chat perdu est certainement arrivé porteur de germes. Les chats sont souvent atteints de cette maladie respiratoire.

— Pas possible ! Qui aurait pensé qu'un petit chat pourrait rendre des cochons malades ? Qu'est-ce que je dois faire de Minuit, docteur ?

— Pour commencer, je vais lui donner des antibiotiques. Ensuite, veillez à ce qu'il reste à distance de Sadie et de ses petits, du moins tant que ceux-ci ne seront pas tout à fait rétablis.

— Mais êtes-vous certain qu'ils guériront ? demanda M. Pollard, très inquiet. Ils ne vont pas mourir parce que ce chat leur a éternué dessus ?

— Non, Luke. Les antibiotiques ont des effets merveilleux. Je repasserai dans quelques jours faire une nouvelle piqûre à vos porcelets. Il n'y a aucune raison pour qu'ils ne deviennent pas gros et forts... de magnifiques spécimens... du moins pour la plupart. »

Val surprit le coup d'œil qu'il jeta à l'avorton.

« Tu ne crois pas que Pitchounet s'en tirera ? » demanda-t-elle.

Elle avait spontanément baptisé ainsi le petit cochon, sans prendre le temps de penser.

Le vétérinaire souleva le petit animal.

« Si par " Pitchounet " tu veux désigner celui-ci, personne ne saurait répondre à ta question. Il y a un raté dans presque chaque portée. Parfois, il réussit à lutter avec ses frères et sœurs et à se nourrir suffisamment. Le plus souvent, hélas ! la mère n'a pas assez de lait pour tous les petits, ou encore les plus gros et les plus gloutons ne permettent pas au plus faible de recevoir sa part. Mais je lui ai fait une piqûre, comme aux autres. Il a ses chances.

— Oui, vous avez raison, opina le fermier. Il arrive aussi que la truie, en se retournant, écrase l'avorton sous sa masse.» Et, surprenant l'air horrifié de Val : «Ne soyez pas si bouleversée, Vallie! Ça n'arrive pas souvent et notre brave Sadie ne ferait jamais volontairement de mal à ses petits. Cependant, si l'un d'eux devait ne pas survivre, ce serait celui-là... au fait, comment l'avez-vous appelé?

— Pitchounet! murmura Val, la gorge serrée.

— Vallie! Une autre ampoule d'antibiotiques, s'il te plaît.»

L'adolescente obéit d'un geste machinal, sans pouvoir détacher ses yeux du petit cochon.

«Même s'il s'en sort, enchaîna M. Pollard, il y a des chances pour qu'il n'atteigne jamais la taille des autres. Il n'y a pas beaucoup à manger dans un cochon nain. Et en ce moment, Pitchounet n'est guère plus gros qu'une saucisse.»

Il acheva sa phrase en riant, mais Val n'avait pas envie de rire. Elle s'efforçait d'oublier que ces adorables petits cochons roses étaient promis à une terrible fin : être convertis en jambons, lard, côtelettes, saucisses et boudin. Son amour des animaux l'empêchait de manger de la viande. Elle ne pouvait oublier que chaque bifteck, rosbif et autres, avaient d'abord été une partie d'un animal heureux et en bonne santé.

Val eut soudain l'impression que Pitchounet la regardait d'un air implorant. Tous ses frères et sœurs se pressaient contre Sadie et tétaient, ne lui laissant aucune chance d'approcher les mamelles nourricières. Val saisit le plus gras des petits cochons, le tira en arrière, et mit Pitchounet à sa place.

« Laisse ton petit frère se restaurer, Groslard ! »

M. Pollard se mit à rire.

« Quelle curieuse fille vous faites, Vallie ! dit-il. J'ai bien envie de vous engager comme nurse pour soigner ce petit mal fichu ! »

Val regarda d'un air triste Groslard courir droit à Pitchounet et l'écarter de Sadie d'un vigoureux coup de groin. Bien que le grassouillet porcelet reniflât et toussât comme les autres, on devinait qu'il surmonterait facilement la maladie. Tandis que le pauvre Pitchounet...

« Monsieur Pollard ? Est-ce que vous ne pourriez pas nourrir Pitchounet au biberon jusqu'à ce qu'il soit un peu plus gros et un peu plus fort ? demanda-t-elle d'un ton plein d'espoir.

— Pas le temps, ma pauvre petite! J'ai des tas d'autres cochons qui réclament mes soins et je suis à court de main-d'œuvre en ce moment.» Et, voyant l'expression attristée de Val, il ajouta : «Je n'ai pas le cœur dur, croyez-moi. En outre, ce ne serait pas une bonne affaire de perdre l'un des petits de Sadie. C'est une excellente truie et ses portées fournissent une viande de porc de premier choix.» Val fronça les sourcils. «Mais si je dois perdre l'un de ces dix porcelets autant que ce soit cet avorton! Tout le monde, dans la région, sait que la charcuterie Pollard est la meilleure. Autrement dit, je ne peux pas passer mon temps à dorloter un raté maigrichon qui ne me rapportera jamais beaucoup.

— Vallie! dit soudain le docteur. Nous en avons fini pour aujourd'hui. Tu as entendu M. Pollard? Essaie d'être moins sensible. Si tu veux devenir vétérinaire plus tard, il te faudra accepter certaines données de la vie animale. Nous avons fait de notre mieux pour que ces porcelets n'attrapent pas de pneumonie. Nous ne pouvons empêcher ce qu'il adviendra d'eux par la suite.»

Val acquiesça en silence et entreprit de rassembler seringues usagées et ampoules vides. Elle savait que son père avait raison, mais elle avait le cœur gros à la pensée de ce qui attendait l'infortuné Pitchounet. Son avenir semblait bien sombre. Peut-être ne mourrait-il pas de maladie mais d'inanition, tôt ou tard. A moins que Sadie ne l'étouffe sous elle. De toute façon, le petit cochon était condamné. Et il était si minuscule, si gentil! Si elle avait la permission de l'emporter chez elle, elle était sûre de pouvoir le sauver.

Val regarda son père. Il comprit l'appel muet.

« Non, Vallie! répondit-il. Pas question! En route, mon petit. Il est temps de rentrer à la maison. »

Là-dessus, il avertit M. Pollard qu'il reviendrait trois jours plus tard pour examiner de nouveau les porcelets et renouveler les piqûres. Entre-temps, lui rappela-t-il, il devait tenir Minuit éloigné de la portée.

Après quoi, le père et la fille prirent le chemin du retour

Tandis que la voiture roulait à bonne allure, Val remâchait de tristes pensées. A la longue, elle se risqua :

« Papa... C'est un petit animal si mignon... si gentil... »

Le docteur ne broncha pas.

« Je suis d'accord avec toi, Vallie. Mais à la maison, nous avons déjà deux gentils chiens, un gros gentil chat, quatre hamsters, des lapins, des poulets, un canard et un canari, tous plus gentils les uns que les autres. Sans parler de Fantôme Noir à l'*Arche de Noé.* »

Au nom de Fantôme Noir, Val s'égaya un peu. Autrefois elle avait empêché le beau cheval de course d'être mis à mort et, aujourd'hui, il était à elle. Cela la rendait très heureuse. Personne d'autre, à sa connaissance, ne possédait son propre cheval. N'empêche qu'elle continuait à se tracasser au sujet de Pitchounet.

« Pas de petit cochon, Vallie. Compris ? »

Elle soupira :

« Oui, papa. Compris. »

2

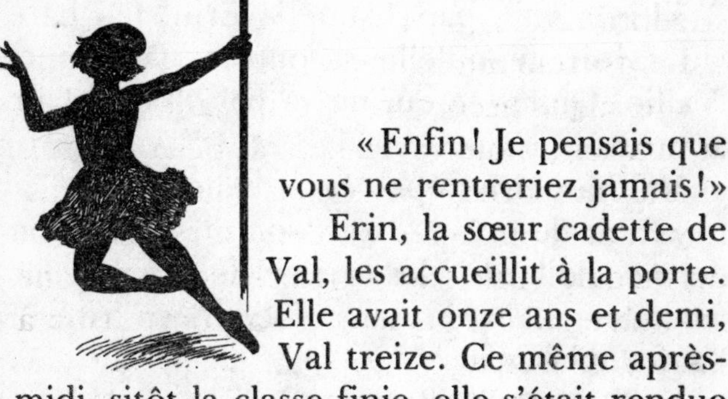

« Enfin ! Je pensais que vous ne rentreriez jamais ! »

Erin, la sœur cadette de Val, les accueillit à la porte. Elle avait onze ans et demi, Val treize. Ce même après-midi, sitôt la classe finie, elle s'était rendue à un cours de danse classique et portait encore ses collants et son justaucorps. Ses jolis cheveux, blonds et soyeux, étaient noués sur le sommet de sa tête, à la mode des ballerines. Après avoir embrassé son père avec élan, elle lui fourra une enveloppe dans la main.

« Une lettre de tante Peggy ! » annonça-t-elle.

Peggy était la tante maternelle des enfants Taylor. Elle habitait New York, ville qu'Erin jugeait l'endroit le plus merveilleux du monde. La maman des deux sœurs avait trouvé la mort dans un accident de voiture, trois ans plus tôt. Sa disparition avait plongé la famille dans un immense chagrin. Avec le temps, celui-ci s'était un peu adouci, en partie grâce à tante Peggy qui n'avait jamais perdu le contact. Une lettre d'elle était toujours bourrée de choses intéressantes.

« Lis-la vite, papa! supplia Erin. J'ai hâte de savoir ce qu'elle raconte!... Dis donc, Vallie! Qu'est-ce qui ne va pas? Tu as l'air tout drôle. »

Val haussa les épaules.

« Rien de grave. Nous sommes allés à la ferme Pollard... les petits de Sadie sont malades. Ils vont sans doute s'en tirer... sauf Pitchounet.

— Qui est Pitchounet? »

Avant que Val ait eu le temps de répondre, Erin s'était retournée vers son père. « Assieds-toi dans ton fauteuil préféré, papa, et ouvre la lettre. »

Le docteur Taylor se laissa conduire à son fauteuil à bascule, près du feu, et ouvrit l'enveloppe.

« Où est Teddy? » demanda-t-il. Teddy était le jeune frère de Val et d'Erin. Il avait huit ans.

« Chez Eric qui vient de recevoir un nouveau jeu vidéo. Il va revenir d'un moment à l'autre. Lis vite, papa! »

Val se laissa tomber sur le canapé, tout en caressant Jocko le petit bâtard noir et blanc, et Sunshine, le grand chien de chasse au poil doré. Cleveland, l'énorme chat orange, sauta sur ses genoux et commença à ronronner de plaisir.

« Alors, papa! Quelles nouvelles? » demanda-t-elle.

Le docteur parcourut la lettre et haussa les sourcils.

« Tiens! Tiens! fit-il pour tout commentaire.

— Papa! hurla presque Erin. Lis donc tout haut!

— Très bien! » dit-il. Et, après s'être confortablement calé dans son fauteuil : « *Cher Ted, à présent que les vacances de printemps approchent, il m'est venu une idée. Voilà des mois que je ne vous ai vus. Il est grand temps que nous soyons réunis de nouveau. Je sais combien vous êtes occupé et ne m'attends pas à ce que vous bousculiez votre programme habituel pour venir jusqu'à moi. Mais Valentine et Erin vont être libres pendant près de deux semaines. Pouvez-vous me les envoyer? Je serais si heureuse de les avoir et de leur faire visiter New York. Je les conduirai au théâtre, voir des ballets...*

— Epatant! s'écria Erin.

— *... à l'opéra, dans les musées, etc. Je leur procurerai des distractions dont elles sont sûrement privées à Essex. Vous remarquerez que je n'ai pas inclus mon neveu Teddy dans mon* *invitation. C'est que j'ai une faveur à vous demander en échange. J'aimerais que Milton, qui est du même âge que Teddy, puisse passer ses vacances avec votre fils, à Essex. Milton est beaucoup trop sérieux et un peu timide et ça lui ferait du bien de découvrir la vie à la campagne. Si Teddy est toujours le dynamique et joyeux petit diable dont j'ai gardé le souvenir, ce séjour fera un bien fou à Milton. Téléphonez-moi dès que vous le pourrez. Je suis impatiente de revoir mes nièces. Nous prendrons du bon temps ensemble, comme Milton avec Teddy. Affectueuses pensées à tous y compris les pensionnaires de l'*Arche de Noé. *Peggy.* »

Erin faisait des bonds de joie.

« Oh, papa ! Je t'en prie, permets-nous d'aller à New York ! Nous verrons des tas de ballets et... Oh ! Vallie ! N'est-ce pas merveilleux ?

— Je ne sais pas, répondit Val en serrant Cleveland contre elle. A New York, tous les animaux sont dans des zoos et je déteste les zoos !

— Mais ici, tu vois des animaux tout le temps ! A New York, tu verras un tas de choses bien plus excitantes. Papa, tu nous permets d'aller là-bas, n'est-ce pas ?

— Ma foi, je n'en sais rien encore. Il faut que je réfléchisse. »

La porte d'entrée s'ouvrit brusquement et Teddy entra en coup de vent, le teint animé, ses boucles dorées en désordre sous la casquette de base-ball qu'il portait toujours.

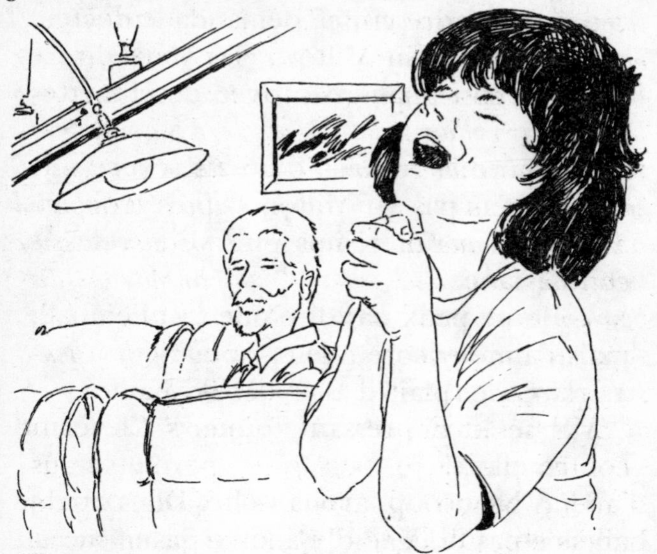

«Salut, Dad! Je viens d'exterminer un million de Martiens sur l'écran du nouveau jeu vidéo d'Eric!»

Les chiens se précipitèrent pour lui faire fête. Tous trois se roulèrent joyeusement sur le tapis.

En se relevant, Teddy aperçut la lettre entre les mains de son père.

«Qui a écrit? demanda-t-il.

— Tante Peggy, répondit Erin. Val et moi, nous irons passer nos vacances de printemps à New York.

— Ah, bon! Je ne suis pas forcé de vous

accompagner, j'espère? Je n'ai pas envie d'aller à New York.

— Mais que dirais-tu si ton cousin Milton venait te rendre visite? demanda le docteur.

— Mon cousin Milton? Tu veux dire ce petit garçon gnan-gnan avec des lunettes? Bouh!»

Son père le regarda d'un air sévère.

«Tu n'as pas vu Milton depuis trois ans, Teddy. Il serait temps que vous refassiez connaissance.

— Je ne peux pas dire que ça m'emballe, mais j'aime encore mieux ça qu'aller à New York. Ça te plaît d'aller là-bas, Vallie?»

Val se leva, pressant toujours Cleveland contre elle.

«Pas beaucoup, avoua-t-elle. Dis, papa, je ne suis pas obligée d'y aller si ça ne me dit rien? Avec Jill, nous avons fait un tas de projets pour les vacances. En outre, je souhaite travailler à l'*Arche de Noé* à plein temps!

— Vallie, tu es folle! protesta Erin. Pense un peu à tout ce que tu vas manquer! Les ballets, l'opéra, le théâtre!»

Val caressa le doux pelage orange du chat.

«Je préfère rester ici avec papa et monter Fantôme tous les jours. Mais pars si tu veux, Erin. Tu t'amuseras beaucoup.

— Papa! s'écria Erin, déçue. Si Val reste

ici, ça ne m'empêchera pas de partir, n'est-ce pas?

— Pas forcément. Mais je vous ai déjà dit que j'allais réfléchir à la question. Pour l'instant, je meurs de faim. Qu'est-ce qu'il y a pour dîner?»

Avant qu'Erin ait eu le temps de répondre, un cri d'effroi jaillit des profondeurs de la cuisine.

«C'est Mme Racer! s'exclama Val. Qu'est-il arrivé?»

Suivie des autres, elle se précipita à la cuisine. Mme Racer, la gouvernante des Taylor, se tenait debout au milieu de la pièce, pointant un doigt tremblant vers la table.

«Qu'y a-t-il? s'enquit Val d'une voix inquiète. Etes-vous malade?

— La cloche à fromage! La cloche à fromage! bégaya Mme Racer. Il y a... une araignée dedans!

— Calmez-vous, pria le docteur en passant un bras rassurant autour des épaules tremblantes de la brave femme. Voyons, reprenez-vous!

— Elle a trouvé Norma! hurla Teddy en courant à la table de cuisine. Je me demandais où elle était passée!»

Soulevant le couvercle de la cloche, il regarda dessous. Val et Erin s'approchèrent pour jeter un coup d'œil par-dessus son épaule. Dans le récipient en plastique se trouvait une énorme araignée velue.

« Pouah ! s'écria Erin.

— Eh bien, quoi, ce n'est qu'une araignée, constata Val. Où l'as-tu dénichée, Teddy ? »

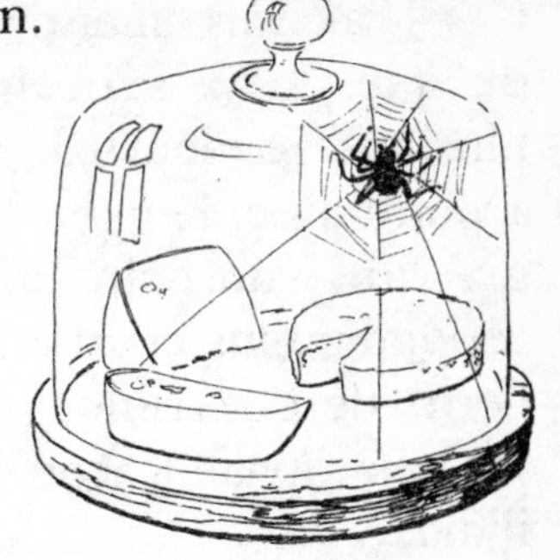

Le jeune garçon taquina la bestiole du bout de l'index. L'araignée n'eut aucune réaction.

« La maîtresse a demandé si quelqu'un voulait se charger de Norma pendant les vacances, expliqua-t-il. Alors, je me suis proposé et l'ai ramenée ici. » Il fit un large sourire à Mme Racer. « J'ai pris la cloche à fromage pour lui servir de maison. Regardez de près et vous verrez les petits trous que j'ai faits pour lui permettre de respirer. Je l'ai installée ici en rentrant de l'école et je l'ai laissée sur la table. Puis je suis monté me laver les mains et, quand je suis redescendu, la cloche avait disparu. Je n'ai pas pris la peine de la chercher, car j'étais pressé d'aller rejoindre Eric. Où avez-vous trouvé Norma ? »

La gouvernante était suffisamment remise pour répondre :

« Dans le réfrigérateur. J'ai pris la cloche à fromage et, quand j'ai soulevé le couvercle... Brrr... S'il y a une chose que je ne puis souffrir, c'est bien les araignées. Ces horribles bêtes velues, avec toutes ces pattes... Et celle-ci est la plus grosse et la plus velue que j'aie jamais vue!»

Teddy se pencha pour examiner l'araignée de près.

«Comment Norma a-t-elle pu se retrouver dans le réfrigérateur? La pauvre semble mal en point. J'espère qu'elle n'a pas pris froid!

— C'est moi qui l'y ai mise, expliqua Erin en frissonnant. Si j'avais su ce qui se cachait sous la cloche, je ne l'aurais pas touchée, même avec des pincettes! J'avais remarqué les trous dans le couvercle et me demandais à quoi ils servaient. Vraiment, Teddy, ce n'est pas un truc à faire! Mme Racer aurait pu mourir d'une crise cardiaque!»

Val examina à son tour la bestiole.

«Les araignées ne sont pas mes animaux préférés, déclara-t-elle, mais cette grosse-là est assez sympa. Elle ne peut pas rester dans ce petit récipient en plastique. Dis donc, Teddy, mon vieil aquarium est quelque part au sous-sol. Nous pourrions le remonter et...

— Pas de ça! ordonna le docteur. Nous ne garderons pas cette araignée. Tu connais la règle, Teddy. Pas de nouvel animal ici, à moins que tout le monde ne soit d'accord.

Non, pas même à titre temporaire. Norma partira dès demain matin. Et pas de " mais ", s'il te plaît! Au fait, pourquoi l'as-tu apportée ici aujourd'hui, Teddy? Les vacances commencent dans quinze jours.

— Eh bien... Mme Robinson n'aime pas tellement Norma. Elle en a un peu peur. Un des garçons de ma classe a ramené cette araignée pour un cours d'histoire naturelle et puis il a disparu. Ses parents ont déménagé, je crois.

— Désolé, fiston! Je suis de tout cœur avec Mme Robinson, mais elle devra trouver une autre famille adoptive pour Norma. Remets ce couvercle en place et monte Norma dans ta chambre. Demain, tu la remporteras... Alors, madame Racer, vous sentez-vous mieux?»

Elle hocha sa tête grise.

«Du moment que je sais que cette bestiole ne sera plus ici demain matin, quand je reviendrai, ça peut aller!» J'aime bien mes chats, les chiens, les lapins et les poulets et même ce petit singe si drôle que vous avez eu un moment. Mais les araignées... non, merci!»

Teddy poussa un gros soupir et ajusta le couvercle de la cloche.

«Allez, viens, Norma. Je te monte dans ma chambre. Tu pourras bavarder avec mes hamsters. Et puis, ne t'en fais pas trop! Moi, je t'aime, même si les autres ne t'aiment pas!

— C'est une espèce d'araignée très mignonne, tenta de plaider Val.

— J'ai dit pas d'araignées... et pas de cochons! déclara le docteur d'une voix ferme.

— Des cochons? fit Erin en écho. De quels cochons s'agit-il?

— Peu importe! dit Val avec tristesse, son dernier espoir évanoui. Qu'y a-t-il pour souper, madame Racer?

— Des côtelettes de porc, répondit la gouvernante. Et un plat de légumes pour toi, Vallie.» Elle ôta son tablier qu'elle suspendit à un clou et enfila son manteau. «Il faut que je me prépare. Mon fils Henry va passer me prendre d'une minute à l'autre.»

Des côtelettes de porc! En pensée, Val revit les mignons petits cochons roses de M. Pollard. Elle se rappela l'inscription qui décorait les flancs de sa camionnette, celle qu'il utilisait pour distribuer sa viande à travers la ville : *Charcuterie Pollard*, disait-elle. Et, au-dessous, était représenté un cochon souriant en train de danser la gigue sur ses pattes de derrière. Brusquement, Val en eut l'appétit coupé. Elle n'avait même plus envie de manger des légumes.

«Papa, puis-je y aller?» demanda Erin, un peu plus tard ce soir-là. Les Taylor finissaient de dîner et Val était en train de servir de grosses tranches d'un gâteau à la noix de coco, que Mme Racer avait fait.

« Aller où ? demanda le docteur distraitement.

— A New York ! Chez tante Peggy. Même si Vallie n'y va pas, je suis assez grande pour prendre le train toute seule. J'aurai bientôt douze ans.

— Une fois de plus, je te dis que je réfléchirai à la question. L'histoire de Norma ne m'en a guère laissé le temps. »

Teddy jeta un coup d'œil à son père tout en attaquant son dessert.

« Je crois que tu devrais la laisser partir, p'pa. Et laisser Milton venir ici. Après tout, il deviendra moins toquard quand il aura fréquenté mes copains.

— Val ! dit le docteur. C'est sûr que tu ne veux pas aller avec Erin ?

— Sûr et certain. Je n'aime pas New York. Et puis, Jill et moi, nous avons projeté de faire un tas de choses ensemble. Et tu m'as permis de travailler à plein temps avec toi. Mais Erin devrait répondre à l'invitation de tante Peggy. Ce sera passionnant pour elle. Je parie que tatie la conduira tous les soirs voir des ballets.

— Oh, oui, papa, je t'en prie ! supplia Erin. Si je veux devenir une danseuse célèbre, comme l'était maman, je dois voir les meilleurs danseurs du monde. Et ils se produisent tous à New York. Si je ne vais pas là-bas, jamais je ne deviendrai une ballerine, je sens ça!

— Ma foi... Puisque tu y tiens tant!» dit pour finir le docteur. Et tandis que ses filles échangeaient un regard de triomphe, il ajouta : «Et l'idée de faire venir Milton ici n'est pas mauvaise. J'écrirai à tante Peggy ce soir même.

— Téléphone-lui plutôt! s'écria Erin. Appelle-la sans attendre! Je t'en prie!»

Elle plaça l'appareil à côté de son père tandis que Val cherchait le numéro de sa tante dans le carnet d'adresses.

«Bon, bon, j'obéis, bougonna le docteur. Sinon, je sens bien que vous ne me laisseriez pas en paix!»

Erin se mit à danser d'impatience tandis que son père composait le numéro de sa belle-sœur. Val commença à desservir. Teddy l'aidait en disposant assiettes et couverts dans le lave-vaisselle.

«Allô, Peggy! C'est Ted. Je viens de recevoir votre lettre. Je crois que vous allez avoir une invitée... Oui, une seule. Vallie désire rester ici, mais Erin ne demande qu'à vous rejoindre.

— Je suis folle d'impatience! lança Erin dans l'appareil. Et merci mille fois de nous avoir invitées!»

Le docteur et tante Peggy parlèrent

encore un moment, prenant des dispositions pour le voyage. Puis le docteur en vint à Milton.

« Nous serons heureux de recevoir Milton ici. Ce sera excellent pour nos deux garçons d'apprendre à mieux se connaître.

— Demande-lui si Milton est toujours aussi vieux jeu! » lança Teddy à qui Val fit les gros yeux.

Le docteur foudroya le garnement du regard et expliqua dans l'appareil :

« Oui, c'était Teddy. Ce qu'il a dit ?... Heu... il demandait si Milton aimait aussi les jeux... »

Val, Erin et Teddy réprimèrent un fou rire sous les yeux courroucés de leur père. Celui-ci, après avoir parlé trains, horaires et dates, finit par raccrocher.

« Eh bien, papa, tu as l'esprit vif ! » déclara Teddy en se tordant de rire.

Mais le docteur n'était pas d'humeur à plaisanter. Il réprimanda sévèrement son fils.

« Tu n'as pas vu ton cousin depuis des années, Teddy. Il est certain que ce n'est pas un enfant turbulent comme toi, mais ce n'est pas une raison pour le traiter de vieux jeu. Peut-être te réserve-t-il des surprises. Il est possible qu'il soit devenu costaud et t'écrabouille si tu n'es pas gentil avec lui. Les gens changent, tu sais.

— Ben, s'il n'est pas resté mollasson, peut-être joue-t-il au base-ball, suggéra Teddy, plein d'espoir.

— A ta place, je lui écrirais une gentille lettre pour le lui demander. S'il te répond, vous vous connaîtrez déjà un peu mieux avant qu'il n'arrive.

— Tiens, ça c'est une bonne idée ! s'écria Teddy. Je me demande s'il a un animal de compagnie! Je parie qu'il ne possède pas d'araignée.

— Toi non plus, mon garçon, lui rappela le docteur.

— Bon. Eh bien, je monte tout de suite dans ma chambre écrire cette lettre. Après, j'irai promener les chiens!»

Il sortit, Jocko et Sunshine sur ses talons. Erin se jeta au cou de son père.

«Oh, papa! Merci, merci! Je n'ai jamais été aussi heureuse de ma vie, s'exclama-t-elle en l'embrassant.

— Es-tu si contente de nous quitter, ma chérie?» demanda le docteur tout en lui rendant ses baisers.

Quelque chose, dans l'intonation de son père, émut Val. Pourquoi cette pointe de tristesse? Ce n'était pas comme si Erin partait pour toujours! Puis elle songea que c'était la première fois que la famille se séparait. Erin lui manquerait pendant sa courte absence.

«Oh, je ne m'en vais que pour peu de temps, dit Erin. Et j'enverrai des cartes postales chaque jour. Oh, comme ce sera merveilleux, là-bas!

— Viens donc, Erin! pria Val. Il faut donner à manger aux lapins, au canard et aux poulets de Teddy.

— Pourquoi ne le fait-il pas lui-même?

— Parce qu'il est en train d'écrire à Milton. Il s'en occupera en personne demain soir.

— Bon, d'accord! fit Erin. Mais quand nous en aurons fini avec les corvées, je téléphonerai à Olivia. Quand je lui aurai appris ce qui m'arrive, elle en sera malade de jalousie.

— J'espère bien que non, car c'est un vilain sentiment. »

Erin embrassa encore son père avant de sortir. Le petit pincement au cœur qu'avait ressenti Val un instant plus tôt disparut. Après tout, sa sœur allait juste prendre de petites vacances. Rien n'était vraiment changé.

3

La quinzaine suivante passa si vite que Val s'aperçut à peine de la fuite des jours. Chaque fois qu'elle le pouvait, elle allait à bicyclette jusqu'à la ferme Pollard, histoire de voir comment se portait Pitchounet. Le porcelet avait cessé de renifler et de tousser, mais il restait toujours aussi minuscule alors que ses frères et sœurs grossissaient avec régularité. Val se faisait beaucoup de souci à son sujet. Toby lui répétait sans cesse qu'elle était bien sotte.

« Qu'est-ce que ça peut faire qu'il ne grossisse pas ? Il est toujours en vie, non ? »

Val admettait cette évidence, mais restait persuadée que son protégé ne mangeait pas à sa faim. S'il continuait à être sous-alimenté, il finirait par mourir, c'était fatal.

A la maison, Erin ne tenait pas en place.

Elle préparait activement son séjour à New York. Pour commencer, elle avait décidé que sa garde-robe devait être renouvelée.

La maman de son amie Olivia l'avait accompagnée pour la conseiller dans ses achats. Erin possédait à présent différents vêtements adaptés à ses futures sorties new-yorkaises. Son acquisition préférée était une robe imprimée de fleurs aux gais coloris et garnie d'un joli col blanc.

« Tu devrais t'acheter des robes toi aussi, dit-elle à Val. Tu portes toujours des jeans et des chandails. Et puis, tu devrais prendre davantage soin de ta coiffure. Tu as de très jolis cheveux et tu les peignes n'importe comment. »

Val haussa les épaules.

« Bah ! Que ferais-je de robes ? Je n'aurai jamais l'occasion de les mettre. A l'*Arche de Noé*, je suis cent fois plus à mon aise en pantalon. Et de quoi aurais-je l'air, en jupe, quand je galope avec Fantôme ? »

Erin soupira.

« J'aurais tant aimé que tu viennes avec moi, Vallie. Je suis sûre que tu aimerais New York une fois que tu t'y serais habituée.

— Mais d'ici à ce que je m'y habitue, l'heure du retour aurait sonné, fit remarquer Val. Non, je t'assure, je préfère rester ici avec papa. Amuse-toi bien là-bas, Erin !

— Quand je serai devenue une danseuse célèbre, tu viendras me voir à New York. Mais si tu portes tes horribles vieux jeans...

— Tu ne me laisseras pas entrer?

— Bien sûr que si! Mais je serai obligée d'expliquer à mes amis que ma sœur est une excentrique. Je parie que tu finiras par devenir un sacré numéro, comme Mlle Maggie, que tout le monde, à Essex, considère comme une originale!»

Mlle Maggie Rafferty était une vieille dame qui recueillait tous les animaux perdus ou malheureux qui ne pouvaient trouver de place à l'*Arche de Noé*. Certes, c'était une excentrique, mais elle possédait un cœur d'or. Après tout, se dit Val, ce ne serait pas si mal de lui ressembler!

Vint enfin le jour où Erin devait partir pour New York. Son père porta sa valise à la voiture tandis qu'elle prenait congé de Mme Racer.

«Prends bien soin de toi, Erin! déclara la brave gouvernante en pressant la fillette contre elle. Et ne sors jamais seule. New York est plein de vilaines gens. Comme je regrette que Vallie ne t'accompagne pas! Et pourvu que ta tante soit bien à la gare pour t'accueillir!

— Mais oui, elle y sera, affirma Erin. Ne vous tracassez pas pour moi.

— Et si elle n'y est pas, demande à un policier de lui téléphoner pour qu'elle vienne te chercher. Tu as son numéro, n'est-ce pas ?

— Mais oui, répondit Erin toujours patiente. Je l'ai là, dans mon sac.

— Alors, Erin ! Tu viens ! lança Teddy en tirant sa sœur par la manche.

— Ne vous faites pas de souci, madame Racer, dit à son tour Val, rassurante. Erin nous téléphonera dès qu'elle sera arrivée. Et maintenant, il faut qu'elle se dépêche, sinon elle va manquer son train.

— Ce ne serait peut-être pas une mauvaise chose », grommela la gouvernante.

Elle embrassa encore Erin et rentra dans la maison tandis que Teddy, suivi de ses sœurs, courait à la voiture. Il monta à l'arrière, avec Val.

Erin s'installa à côté de son père. Elle avait les gestes gracieux d'une danseuse professionnelle. Enchantée de partir, elle ne regarda même pas en arrière quand la voiture démarra.

«J'ai peine à croire à ma chance! s'écria-t-elle gaiement. Me voilà en route pour New York!

— Et Milton vient à Essex!» dit Teddy.

Le train de Milton était attendu une demi-heure après le départ de celui d'Erin.

«Il n'a jamais répondu à ma lettre, ajouta Teddy. Je me demande à quoi il ressemble.

— Sans doute se pose-t-il la même question à ton sujet, fit remarquer le docteur. Mais, dans peu de temps, vous saurez à quoi vous en tenir l'un et l'autre.

— Ça, c'est sûr!... Chouette! Dix jours de vacances! Comme on va s'amuser! On jouera au base-ball, et j'inviterai Eric, Billy et Sparky à la maison puisque tu me l'as permis! On va prendre du bon temps!»

Erin se retourna :

«Je ne vais pas te manquer, Teddy? demanda-t-elle.

— Sûr que non! Et je ne te manquerai pas non plus, c'est certain. Tu seras bien trop occupée à faire un tas de choses avec tante Peggy! Je parie qu'aucun de nous ne te manquera.»

Val espéra qu'Erin allait dire qu'ils lui

manqueraient tous beaucoup, mais elle n'en fit rien.

Une demi-heure plus tard, ils attendaient sur le quai le train qui allait emporter Erin.

« Quand le contrôleur passera, recommanda le docteur, n'oublie pas de lui remettre ton billet, Erin. Et demande-lui de te faire signe un peu avant l'arrivée à New York, afin que tu aies le temps de rassembler tes affaires.

— Oh, papa ! Je n'ai qu'une petite valise ! Toi et Mme Racer, vous me prenez pour un bébé. Je vais sur mes douze ans. Milton arrive tout seul et il n'en a que huit. »

Elle scruta la voie, les pommettes roses d'excitation.

« Je crois que j'entends le train ! s'écria-t-elle. Ecoutez ! Il est juste à l'heure. »

Val aussi avait entendu... Autour d'eux, les voyageurs rassemblaient leurs bagages. Le docteur ramassa la valise d'Erin. Le train entra en gare et s'arrêta.

« Tiens, Erin ! dit Val en fourrant un magazine dans la main de sa sœur. C'est le dernier numéro de la *Revue des Ballets*. Tu pourras le lire en cours de route.

— Oh, merci, Vallie ! » Erin se jeta au cou de son aînée. « Tu prendras soin de papa en mon absence, n'est-ce pas ? Et ne laisse pas Cleveland entrer dans ma chambre... à cause de Pissenlit. Promis?

— Promis!» répéta Val. Elle savait combien sa sœur aimait son canari.

Erin s'arracha à l'étreinte de Val pour embrasser son père.

«J'écrirai tous les jours, parole! Et je téléphonerai dès que je serai arrivée chez tante Peggy.»

Teddy se tenait un peu à l'écart, piétinant sur place.

«Au revoir, Erin, dit-il gauchement. Je crois que tu vas me manquer... un tout petit peu. Tiens, prends ça! C'est pour le voyage... au cas où tu aurais un creux!

— Des bonbons fourrés! Mes préférés! Tu veux bien que je t'embrasse pour te remercier?

— Ouais... à condition que tu fasses vite!»

Erin se pencha pour déposer un baiser sur la joue de son petit frère. Brusquement, Teddy lui jeta ses deux bras autour du cou et l'embrassa à l'étouffer.

«*Bye*, Erin!

— *Bye*, Teddy!»

Puis le docteur fit monter Erin dans un compartiment où il la suivit en portant sa valise. L'instant d'après, il sautait sur le quai.

«Elle a un coin fenêtre, annonça-t-il. Ah! Elle nous fait signe!»

A leur tour, Val et Erin agitèrent la main. Derrière la vitre, le mince visage de la voyageuse semblait un peu pâle. Mais comme elle avait l'air heureux!

Les derniers voyageurs montèrent dans le train qui démarra presque aussitôt. Le docteur, Val et Teddy le suivirent des yeux jusqu'à ce qu'il ait disparu.

« Et maintenant, déclara le docteur, que diriez-vous d'un bon petit déjeuner? Je meurs de faim. »

Val acquiesça mollement, mais Teddy s'écria avec entrain :

« Je prendrai des gâteaux, des saucisses, du jus d'orange et un chocolat bien chaud. »

Tandis que le trio se dirigeait vers le buffet, Val glissa sa main dans celle de son père.

« Tout ira bien pour elle, n'est-ce pas? murmura-t-elle.

— Ça, répondit le docteur avec un bon sourire, tu peux en être sûre. »

Une demi-heure plus tard, les Taylor se retrouvaient sur un autre quai, guettant l'arrivée du train de New York. Quand il apparut, Teddy se mit à danser sur place. Le convoi s'arrêta. Les voyageurs commencèrent à descendre.

« Est-ce lui? » demanda le gamin en désignant un garçon de son âge qui sautait sur le quai. Mais non! Ses parents descendaient sur ses talons.

D'autres parurent ensuite. Mais tous étaient attendus par des parents ou des amis. Finalement, alors que le train était presque sur le point de repartir, un petit garçon portant des lunettes à monture de corne et vêtu d'un blazer bleu orné d'une élégante pochette descendit à son tour. Il regarda autour de lui d'un air anxieux, les mains crispées sur un petit sac de voyage. Il était coiffé de manière impeccable.

« Je parie que c'est Milton ! s'exclama Val.

— On dirait bien, acquiesça le docteur.

— On ne peut pas s'y tromper, grommela Teddy. Ce gars-là ressemble à un super-mollasson.

— Ne te fie pas aux apparences, fiston, fit le docteur. Tu pourrais te tromper ! » Il se dirigea vers le jeune voyageur visiblement désemparé. « Salut, jeune homme ! Ne serais-tu pas Milton Williamson, par hasard ?

— Etes-vous mon oncle Ted ? demanda le gamin.

— Si tu es Milton, je suis bien ton oncle Ted ! Et voici ton cousin Teddy et ta cousine Valentine. »

Le garçon tendit la main. Teddy la lui serra d'une poigne vigoureuse.

« Salut, Milton ! Comment va ?

— Bonjour, Teddy. Je suis très heureux de faire ta connaissance.

— Moi de même», marmonna Teddy. Et, se tournant vers Val, il ajouta tout bas : «Il est bien chichiteux, le cousin, non?

— Tais-toi donc, garnement!» souffla-t-elle sur le même ton. Puis, se tournant vers Milton, elle lui sourit avec gentillesse. «Bonjour, Milton. Nous sommes très contents que tu viennes passer quelques jours chez nous, tu sais!

— Merci de m'avoir invité, répondit le jeune voyageur. Je me fais une joie de séjourner quelque temps à Essex... Ah! je vois qu'on a descendu ma valise sur le quai. Son contenu est fragile. Elle contient mon dernier jeu vidéo et le moindre heurt risquerait de brouiller les circuits.»

Le docteur, qui avait déjà débarrassé son neveu de son sac de voyage, le rassura avec bonne humeur.

«Aucun problème. Tout ira bien, mon garçon. Suis-moi. La voiture est garée à deux pas d'ici. Teddy, charge-toi de la valise de ton cousin.

— Si ça ne vous fait rien, coupa Milton, je préférerais la transporter moi-même. Elle contient aussi mon jeu d'échecs électronique.»

Val comprit que Milton ne jugeait pas Teddy assez précautionneux pour lui confier le précieux bagage.

Cependant, Teddy s'exclama :

« Tu as un jeu d'échecs électronique ?

— Mais oui, affirma Milton. Je ne vais jamais nulle part sans l'emporter. Oncle Ted! Maman m'a dit que vous jouiez aux échecs ?

— En effet, dans le temps, j'étais un bon joueur, reconnut le docteur. Mais je ne joue plus depuis belle lurette. J'ai dû me rouiller. Peut-être que, grâce à toi, je vais m'y remettre.

— Ça me ferait bien plaisir, déclara Milton en peinant pour monter un escalier avec sa valise.

— Veux-tu que je t'aide ? » proposa Val, d'une voix aimable.

Mais le gamin secoua la tête avec énergie.

« Non, non. Merci. Je m'en tire très bien. »

Quand on fut à la voiture, Val s'installa devant, à côté de son père, tandis que les deux garçons prenaient place à l'arrière, la valise entre eux. Le docteur quitta le parking de la gare et prit le chemin du retour.

« As-tu fait bon voyage, Milton ? questionna Val.

— Oui, excellent, répondit Milton. Papa m'avait offert un livre pour la route et je l'ai terminé juste avant d'arriver. »

Teddy ouvrit de grands yeux.

« Tu as lu un livre entier, comme ça, d'un seul coup ? demanda-t-il, stupéfait.

— Bien sûr! Ça m'arrive souvent. J'adore la lecture.

— Moi aussi, déclara Val. Quels sont tes livres préférés? Pour ma part, j'adore les histoires d'animaux.

— Moi de même. Mais j'aime bien aussi les histoires qui mettent des gens en scène.»

Teddy se tortillait sur son siège.

«Moi, annonça-t-il, je préfère les bandes dessinées à toute autre chose.

— Ah! Mes parents ne m'autorisent pas à lire de B.D.

— Sans blague!»

Teddy médita un moment, puis résuma en quelques mots le fond de sa pensée.

«Tes parents sont drôlement sévères.

— Non, pas vraiment. Mais ils ont décidé de certaines règles auxquelles je dois me plier, expliqua Milton d'un ton grave. Vois-tu, je suis enfant unique. Ils ne cessent de me répéter que je suis leur bien le plus précieux et ils veulent que j'ai tout ce qu'il y a de mieux.

— Cela te plaît-il, d'être enfant unique? demanda Val.

— Ma foi, oui. J'y suis habitué... comme toi, Erin et Teddy êtes habitués à vivre ensemble.

— Tu ne te sens pas un peu seul quelquefois? demanda à son tour Teddy.

— Non. J'aime bien m'occuper tout seul.

Du reste, je peux jouer avec mes amis quand bon me semble. J'ai beaucoup de camarades de classe. Certains d'entre eux habitent le même immeuble que nous. »

Teddy se pencha par-dessus la valise de son cousin et dévisagea celui-ci avant de lui poser la question qui le tracassait.

« Dis donc, mon vieux, comment t'appellent tes petits copains ?

— Mais... Milton ! répondit Milton, étonné.

— Tu n'as pas un diminutif... ou un surnom ? Tu vois, je me nomme Théodore, mais tout le monde m'appelle Teddy. Et personne n'appelle jamais Valentine autrement que Val ou Vallie. Voyons... que dirais-tu de Milt ? Est-ce que quelqu'un t'a déjà appelé Milt ? »

Milton se raidit un peu et secoua la tête.

« Mon nom est Milton. C'est comme ça que tout le monde m'appelle. Jamais autrement. » Puis, le souci de la vérité lui fit froncer les sourcils. « Il est vrai que la première fois que j'ai porté des lunettes, quelques camarades de classe ont cru bon de m'appeler Quat'zœils ! Mais, bien sûr, ce n'étaient pas des amis.

— Quat'zœils, hein ? » répéta Teddy, l'air songeur.

Val savait très bien à quoi pensait son diablotin de frère. Elle se tourna vers lui et lui fit les gros yeux.

La voix du docteur rompit les chiens :

« Milton, t'intéresses-tu aux animaux ? As-tu un animal à toi ?

— Non. Et je n'en ai jamais eu.

— Dieu du ciel ! gémit Teddy avec une grimace.

— Nous, enchaîna Val, nous en avons un tas à la maison. Un chat, deux chiens, un canari, quatre hamsters, des poulets... »

Elle n'arrêta pas de parler de la ménagerie des Taylor tout le long du trajet. Derrière elle, assis côte à côte, Teddy et Milton ne prononcèrent plus un mot.

4

« Papa, déclara Val ce soir-là. Ça n'a pas l'air de coller entre eux ! »

Les deux garçons s'étaient couchés de bonne heure. Val et son père avaient présidé la double cérémonie : Milton dans la chambre d'Erin et Teddy dans son propre lit.

« Nous sommes heureux de t'avoir ici, Milton, avait dit le docteur. Ton échiquier électronique m'a beaucoup intéressé. Je te remercie de m'avoir appris à m'en servir.

— Tout le plaisir a été pour moi, oncle Ted ! » répondit Milton avec cérémonie.

Il semblait tout petit et vulnérable sans ses lunettes, au fond du lit.

« Demain, dit Val à son tour, Teddy et toi vous viendrez avec nous à l'*Arche de Noé.* Et puis, après déjeuner, Teddy recevra des amis à lui. Ils sont tous très gentils, tu verras. »

Au moment de souhaiter bonne nuit au petit garçon, elle hésita à l'embrasser. Puis elle décida de s'abstenir. Milton n'avait pas l'air d'attendre une marque quelconque d'affection. Le docteur tapota la joue de son neveu.

« Eh bien, bonne nuit, Milton. A demain !

— Bonne nuit, oncle Ted. Bonne nuit, Vallie. »

Le garçon ferma les yeux. Son oncle éteignit la lumière et quitta la pièce, suivi de Val. Celle-ci s'apprêtait à fermer la porte derrière elle quand la voix de Milton l'arrêta :

« Cela t'ennuierait-il de laisser la porte ouverte ? demanda-t-il. Il fait très noir ici.

— Comme tu voudras ! » répondit-elle.

Val et son père passèrent dans la chambre de Teddy. Ils trouvèrent le petit garçon roulé en boule dans son lit, la mine sombre. Val embrassa la scène du regard. Quelque chose lui parut changé. Mais quoi ? Les hamsters circulaient dans leur enclos, à leur habitude. Les vêtements et les jouets de Teddy étaient éparpillés un peu partout, comme à l'ordinaire.

Mais quelque chose manquait au tableau. Brusquement, Val sut ce que c'était. Teddy dormait toujours avec Gros-Nounours, le vieil ours en peluche mangé aux mites qui lui avait appartenu avant de passer à Erin, puis à Teddy. Or, ce soir-là, pas de Gros-Nounours en vue!

« Où est Gros-Nounours ? » demanda-t-elle.

Teddy répondit par une autre question :

« Milton est-il couché ?

— Oui, bien sûr.

— Alors, ça va ! » Teddy plongea sous ses couvertures et en ramena l'ours. Je ne voulais pas que ce mollasson sache... au sujet de Gros-Nounours, expliqua-t-il. Je ne veux pas qu'il s'imagine que je suis aussi tartemuche que lui ! »

Le docteur s'assit au bord du lit de son fils.

« Teddy ! Ecoute-moi bien. Je te défends de traiter Milton de mollasson ou de Tartemuche, comme tu dis. Je t'interdis de l'appeler ainsi devant moi, devant Vallie, devant tes petits amis et, à plus forte raison, en sa présence.

— Mais, papa, c'est vrai qu'il est mollasson et tarte! C'est le plus mollasson des mollassons que j'aie jamais rencontrés! Et tarte à n'y pas croire. Il a peur de Cleveland et des chiens, il ne connaît rien au base-ball, ni au rugby, ni à rien de rien! Les seules choses qui l'intéressent ce sont ses bouquins stupides, son stupide jeu d'échecs et son stupide piano.

— Milton joue très bien pour un garçon de son âge, déclara le docteur d'une voix calme. Ce petit morceau qu'il nous a fait entendre avant le dîner a été composé par Mozart quand il avait neuf ans.

— Oh! là! là! bougonna Teddy. Je suppose que, le coup d'après, on me dira que Milton est un génie ou quelque chose comme ça! Eh bien, s'il en est un, je m'en moque pas mal. Je voudrais qu'il retourne à New York, chez lui. C'est le garçon le plus rasoir que je connaisse.

— Teddy, déclara Val, tu ne peux pas dire que tu le connaisses déjà. Il vient tout juste d'arriver. Moi, je le trouve très gentil. Calme et timide, peut-être, mais gentil.

— Oh, pour être gentil, il est gentil! Gentil à mourir. Dire qu'il va nous coller aux basques pendant dix longs jours!

— Il y en a déjà un de passé, fit remarquer le docteur sur le ton de la plaisanterie. Plus que neuf à patienter!»

Imperméable à l'ironie, Teddy continua à se lamenter.

«Jamais je n'aurai passé d'aussi mauvaises vacances de printemps. N'y a-t-il pas moyen de le renvoyer chez ses parents?

— Certainement pas, répondit son père avec force. Milton est ton cousin et mon neveu. Il fait partie de la famille. Donne-lui le temps de s'acclimater, Teddy. Il sera moins collet monté d'ici peu, tu verras!

— Il y a encore autre chose! cria Teddy en s'asseyant dans son lit et en serrant Gros-Nounours contre lui. Milton est le garçon le plus impeccable que j'aie jamais vu! Ses cheveux ont l'air collés sur sa tête. Ses jeans ont un pli sur le devant et ses tennis sont BLANCHES!»

Le docteur soupira tandis que son regard errait sur les affaires en désordre de son fils.

«L'ordre et la netteté sont de bonnes choses, Teddy.

— Mais Milton est superordonné et ultranet! On dirait un petit vieux essayant de se faire passer pour un enfant!»

Val avait bien du mal à garder son sérieux. Au fond, Ted n'avait pas tout à fait tort. «Un petit vieux ayant l'aspect d'un enfant. » Voilà l'impression que Milton lui faisait, à elle aussi.

Luttant pour ne pas sourire, elle se pencha sur son petit frère.

« Allons, bonsoir, dors bien... »

Comme elle se baissait pour l'embrasser, il se rejeta en arrière. « Dis donc, tu n'as pas embrassé le mol... Milton, hein ?

— Non.

— Très bien. »

Alors seulement, il lui permit de déposer un baiser sur sa joue. Puis il embrassa son père.

« Je vais essayer de m'habituer à lui, papa, promit-il. Et je ne l'appellerai plus ni mollasson ni tartemuche... sauf si j'oublie. »

Le docteur ébouriffa les boucles rebelles de son fils.

« Eh bien, tâche de ne pas oublier !

— Je ferai de mon mieux, promit encore le gamin en serrant son ours contre lui. Mais on ne peut pas se souvenir de tout.

— Bonne nuit, Teddy.

— Bonne nuit, p'pa. »

Après avoir quitté Teddy, Val et son père se rendirent dans le bureau du docteur. A présent, assise près de lui et caressant Cleveland qui ronronnait sur ses genoux, elle répétait :

« Non ! Je crains que ça ne colle pas entre eux. Teddy et Milton sont comme... disons l'huile et le vinaigre. Impossibles à mélanger!»

Le docteur sourit.

«Tu veux sans doute dire l'huile et l'eau, Vallie. Car, tu sais, si tu mélanges de l'huile et du vinaigre, tu obtiens une excellente vinaigrette. Et c'est ce qu'il nous faut réussir : bien mélanger Teddy et Milton. Tôt ou tard, ils trouveront un terrain d'entente.

— Je me le demande! soupira Val. Pour l'instant, je ne leur trouve qu'un point commun : ce sont tous deux des garçons.

— C'est plus que n'en avaient Teddy et Sparky au début, fit remarquer le docteur. Et regarde-les maintenant...»

Sparky était une fille et une grande amie de Teddy. Mais, à l'origine, ces deux-là s'étaient querellés et même battus avant de devenir inséparables.

Les pensées de Val dérivèrent sur sa sœur.

«Du moins Erin semblait-elle heureuse quand elle nous a téléphoné, cet après-midi.

— Erin nage de bonheur, c'est évident. Cette échappée à New York est une merveilleuse chance pour elle.

— Je le suppose, murmura Val sans enthousiasme.

— Voyons, Vallie! Qu'est-ce qui ne va pas? Regretterais-tu par hasard de n'avoir pas répondu à l'invitation de ta tante?

— Oh, non, papa! Ce n'est pas ça! C'est seulement que... eh bien, j'aurais aimé qu'Erin nous regrette un peu, nous autres. Mais elle n'a pas l'air de s'en soucier. Tandis que moi... elle me manque déjà!

— Sais-tu qu'elle me manque à moi aussi, ma chérie? Mais je ne voudrais pas pour autant qu'elle s'ennuie de nous et se sente triste. Et tu ne le voudrais pas non plus, n'est-ce pas? Au fond, Erin nous est très attachée, mais elle est en train de vivre une expérience grisante. Cela va la mûrir et nous serons encore plus fiers d'elle.

— Ça, c'est vrai! Mais, pour en revenir à Teddy, qu'allons-nous faire au sujet des deux garçons, papa?»

Le docteur se caressa le menton.

«Je crois avoir une idée, dit-il. Milton est ici depuis moins d'un jour et nous l'avons traité comme un invité d'honneur... ce qu'il est, d'une certaine manière. C'est peut-être pour cela qu'il paraît gêné aux entournures. A partir de maintenant, essayons de le traiter comme un simple membre de la famille, ce qu'il est aussi. Il ne se sentira jamais à son aise et ne se montrera jamais naturel si nous ne le considérons pas comme l'un de nous. Alors seulement il se détendra et ne jouera plus au parfait petit gentleman. En fait, il n'est qu'un petit garçon et il nous appartient de laisser sa nature enfantine exploser au grand jour. Il faut lui apprendre à rire, à être moins guindé.

— Je crains, papa, que Milton n'accepte jamais de paraître négligé. On le croirait trempé dans de l'amidon.

— Eh bien, dès demain matin, nous nous emploierons à le désamidonner! Nous ferons comme s'il était Erin.

— Tu veux dire qu'on le chargera de certaines corvées domestiques?

— Exactement. Tante Peggy souhaite qu'il voie comment vit le reste du monde. Eh bien, il le verra!»

Le lendemain matin, Val se leva de bonne heure, pleine d'entrain. Le week-end, c'était elle la responsable du petit déjeuner. Quand Teddy et Milton descendirent, elle s'apprêtait à faire des œufs brouillés.

«Salut, jeunes gens! Bien dormi? lança-t-elle gaiement.

— J'ai passé une excellente nuit, merci! répondit Milton.

— Qu'y a-t-il à manger? s'enquit Teddy, pratique. Je meurs de faim!

— Œufs brouillés et jambon! Mais ce n'est pas encore prêt. Avant de passer à table, Milton et toi vous allez sortir les chiens pour une petite promenade.»

Milton ouvrit de grands yeux.

«Teddy et moi?

— Oui, tous les deux. Tu n'as jamais promené un chien?

— N...non, avoua Milton. Je ne connais rien aux chiens.

— Tu n'as pas besoin de t'y connaître pour les emmener faire un tour, déclara Teddy. Tu n'as qu'à accrocher une laisse à leur collier et sortir.» Tout en parlant, il avait fixé les laisses de Jocko et de Sunshine. Il tendit celle de Jocko à Milton. «Allez, viens, mon vieux. Suis-moi!»

Jocko bondit à la suite de Teddy et de Sunshine, entraînant Milton.

«Il est très fort! fit timidement remarquer le petit citadin, en courant, bien malgré lui, derrière le chien.

— Tiens bon la laisse! cria Teddy par-dessus son épaule. Jocko aime trotter. Si tu le lâches, nous le retrouverons dans l'Etat voisin, c'est sûr!»

La porte claqua derrière les deux garçons. C'était parti! songea Val. Elle garnit un plat de fines lamelles de jambon et l'enfourna dans le four à micro-ondes. Puis elle mit une grosse noix de beurre dans une poêle.

D'ici à ce que les deux cousins reviennent, le petit déjeuner serait prêt.

« Bonjour, Vallie, dit le docteur en entrant dans la cuisine. Où sont Teddy et Milton ?

— Dehors, ils promènent les chiens, expliqua Val. Je crois que Milton n'était pas très enthousiaste, mais il n'a pas protesté.

— Parfait ! fit le docteur en s'attablant. Hé, hé ! Ça sent rudement bon !

— C'est le jambon que j'ai mis au four. Et je prépare des œufs brouillés.

— J'en ai l'eau à la bouche. Puis-je avoir un verre de jus d'orange ?

— Tout de suite, papa. »

Val servit son père puis revint à ses préparatifs. Certes, elle n'était pas une remarquable cuisinière, mais peut-on rater des œufs brouillés ?

Hélas ! Vingt minutes plus tard, les œufs refroidissaient dans la poêle et les tranches de jambon n'étaient plus que de misérables lamelles racornies.

« Il y a belle lurette que nos garnements devraient être de retour ! remarqua le docteur en consultant sa montre.

— Tu ferais bien de déjeuner sans les

attendre, conseilla Val. Moi, je mangerai avec eux. »

Elle fit glisser une bouillie peu appétissante dans l'assiette de son père et disposa avec soin tout autour les lamelles de jambon trop cuit. Du moins les rôties étaient-elles bien dorées...

A peine le docteur avait-il attaqué son repas que la porte s'ouvrit. Sunshine entra au galop dans la cuisine, langue pendante. Un moment plus tard, Teddy parut à son tour, suivi de Milton tenant toujours Jocko en laisse.

« Milton l'avait perdu ! hurla Teddy. Il a lâché la laisse et Jocko a filé ! J'ai bien cru que nous ne le rattraperions jamais !

— Je suis désolé, souffla Milton. Jocko est beaucoup plus costaud qu'il n'y paraît. C'est la première fois que je promenais un chien.

— Je t'avais expliqué ! reprit Teddy. Tout ce que tu avais à faire était de tenir bon ! » Il courut se laver les mains puis jeta un coup d'œil horrifié à l'assiette que Val plaçait devant lui. « Qu'est-ce que c'est ?

— Ton petit déjeuner.

— Quoi ! Ces petits trucs tout durs ?

— Le jambon. Un peu trop cuit.

— Ouille ! On croit rêver ! » soupira le gamin.

Milton, mains lavées, s'assit à son tour.

« Je n'ai pas grand faim, Vallie, murmura-t-il.

— Je peux t'offrir du jus d'orange et des rôties bien dorées, proposa Val avec lassitude.

— Ça ira très bien, merci. »

Val retira deux tranches du toastier et les donna à Milton.

« Et voici du beurre et de la gelée de groseilles.

— Tu n'aurais pas de la marmelade d'oranges, par hasard ? demanda Milton, plein d'espoir.

— Pouah ! La marmelade d'oranges, c'est mauvais ! décréta Teddy. Quand je songe que Jocko aurait pu se faire écraser par une voiture !

— Mais il est sain et sauf, fit remarquer le docteur d'un ton sec. Teddy, mange tes œufs ! Milton, prends de la gelée de groseilles ! Tu l'aimeras.

— Oh, certainement, oncle Ted, s'empressa de dire Milton. Mais, à la maison, nous mangeons de la marmelade d'oranges. Maman la fait venir tout spécialement d'Angleterre.

— C'est Mme Racer qui a fait cette gelée de groseilles, souligna Teddy. C'est la meilleure confiture du monde.

— Je suis sûr qu'elle est très bonne », affirma Milton, toujours poli.

Un long silence suivit durant lequel chacun fit semblant de manger avec plaisir.

« Et voilà! déclara enfin le docteur. Excellent repas, Vallie! Tout le monde a terminé? Il est temps de nous mettre en route. A l'*Arche de Noé*, les consultations commencent dans un quart d'heure.

— Je vais remplir le lave-vaisselle, dit Val. Teddy! Milton! Occupez-vous de donner à manger aux chiens. J'ai déjà servi son déjeuner à Cleveland.

— Je ne sais pas donner à manger aux chiens, avança Milton.

— Prends ça!» cria Teddy en attrapant les plats des chiens et en les fourrant entre les mains de son cousin. « Ce n'est pas un gros travail. Tiens-les, je vais les remplir.»

Milton regarda la nourriture que Teddy répartissait dans les grands bols.

« C'est ça qu'ils mangent les chiens? On dirait des cailloux.

— Ils *adorent* ça! grommela Teddy. Et ils *détestent* la marmelade d'oranges.»

Milton posa les récipients par terre et regarda ses mains.

« Puis-je me laver les mains? demanda-t-il. Ces bols ont été mal nettoyés. Ils gardent des traces des pâtées précédentes. Ça doit receler des tas de microbes.

— Bien sûr, lave-toi les mains!» soupira Val.

Milton se lava avec soin, se sécha non moins minutieusement puis se tourna vers son oncle.

« Oncle Ted, je crois que je préférerais rester ici, à lire un livre. Vous n'avez pas vraiment besoin de moi à l'*Arche de Noé*, n'est-ce pas ?

— Oh ! mais si, Milton ! s'écria le docteur. Nous avons besoin de tous les aides que nous pouvons recruter. Tu liras ton livre plus tard. Tu aimeras certainement l'*Arche de Noé* et tu feras connaissance avec le cheval de Vallie : Fantôme Noir. Tu pourras

même te promener sur son dos si cela te fait plaisir. Voyons, sais-tu monter à cheval ?

— Oh, oui ! répondit Milton. J'ai pris des leçons d'équitation à Central Park pendant environ six mois.

— Mais c'est merveilleux ! Vallie ! Teddy ! En route !

— Voilà, papa!» répondit Val.

Teddy, qui venait de fourrer ses mains dans ses poches, s'immobilisa soudain, sourcils froncés. Puis, d'un geste sec, il sortit des profondeurs de sa poche une enveloppe toute fripée.

«Oh! là! là! Milton! Ça, c'est la lettre que je t'ai écrite il y a je ne sais combien de temps! J'ai bel et bien oublié de te l'envoyer!»

Milton prit l'enveloppe qu'on lui tendait. Il l'ouvrit et lut la lettre de son cousin.

«Désolé, Teddy! dit-il alors. Non, je ne collectionne pas les photos de joueurs de base-ball. Et je n'entends pas grand-chose aux sports. Crois bien que je le regrette. Je crains de ne pas connaître la plupart des choses qui t'intéressent.

— Ça ne fait rien! répondit assez rudement Teddy. Ce n'est pas ta faute si tu es un m...

— Tout le monde en voiture! intervint le docteur.

— J'aurais préféré rester avec un bon livre», murmura Milton en trottant sur les talons de Val et de Teddy.

Val songea avec tristesse que l'expérience tournait au désastre. Un désastre de première grandeur!

5

« Pat, je vous présente mon neveu, Milton ! dit le docteur en entrant dans la salle d'attente de l'*Arche de Noé*. Il passe ses vacances de printemps à la maison. Milton, voici Patricia Dempwolf, notre réceptionniste.

— Comment allez-vous, madame ? s'enquit gravement Milton en serrant la main qu'on lui tendait.

— Ciel ! Mais c'est un vrai petit gentleman ! s'écria Pat.

— Définition de Milton tout craché », chuchota Teddy à l'oreille de Val. Et tout haut : « En effet, il est parfait !

— Où habitez-vous, Milton ? demanda Pat.

— A New York.

— Erin séjourne actuellement chez tante Peggy et oncle John, expliqua Val, pendant que Milton reste avec nous.

— C'est très bien, ça! Tu dois être content d'avoir un petit cousin avec qui jouer, Teddy!»

Teddy se garda de tout commentaire et se contenta de répondre au brillant sourire de Pat. Celle-ci fourragea dans son sac, sous le bureau ; elle en sortit deux énormes sucettes qu'elle tendit aux garçons.

«Une pour chacun! Mais ne les mangez pas tout de suite. Gardez-les pour après déjeuner. J'en ai acheté un sachet pour ma petite-fille, Tiffany. Elle adore celles à la cerise.

— Merci, Pat! dit Teddy en fourrant la friandise dans sa poche.

— Merci beaucoup, madame, répéta Milton, mais je ne suis pas autorisé à manger des sucreries. Mon père affirme que ça gâte les dents.

— Oh! fit Pat, désappointée Veux-tu cette sucette, Val?

— Volontiers. Merci, Pat. Est-ce que Toby est déjà arrivé?

— Bien sûr. Il est en train de distribuer les médicaments à nos patients. Conduis donc Milton à l'infirmerie et fais les présentations... Docteur, voici la liste de vos rendez-vous de ce matin. Charles Tobias doit venir à neuf heures et demie pour faire vacciner Scout contre la rage. Et le siamois de Mme Bradley...

— Viens, Milton! invita Val. Allons voir Toby.

— Qui est-ce?

— Toby, expliqua Teddy, est l'autre aide de papa. Toby Curran. Son père possède une importante laiterie. Les glaces *Curran* sont les meilleures du monde... Dis donc, est-ce qu'on te permet de manger des glaces?

— Oui, répondit Milton, mais seulement en certaines occasions, comme les anniversaires, par exemple. Mon père affirme que...

— Je sais, coupa Teddy avec une grimace. Ça gâte les dents.

— Seulement si l'on en mange trop», corrigea Milton.

Ils trouvèrent Toby en train de faire avaler une pilule à un long chat maigre. Val fit les présentations.

«Ce chat... qu'est-ce qu'il a? demanda Milton.

— Des vers, expliqua Toby. Un sale cas. On pensait que ce vieux Tigre ne s'en sortirait pas, mais il est en train de reprendre du poil de la bête, c'est le cas de le dire.

— Des VERS? répéta Milton en pâlissant un peu. Vous voulez dire... en dedans de lui?

— Certainement pas au-dehors, répliqua Toby en riant. Les chiens et les chats attrapent parfois des vers, vois-tu. Mais si on leur donne le remède qu'il faut, ça tue les parasites et l'animal guérit. Sinon, il meurt de faim car ce sont les vers qui dévorent sa nourriture. »

Val constata que son cousin devenait plus pâle encore.

« Hé, Milton ! dit-elle vivement. Viens donc voir mon cheval. Et pour commencer, allons jeter un coup d'œil sur ses trophées ! »

L'œil de Milton brilla faiblement.

« Ses trophées ? Serait-ce un champion ?

— Il l'a été, précisa Teddy. Dans sa jeunesse, c'était un sauteur d'obstacles remarquable. Il est plutôt vieux à présent... plus vieux que Vallie. Mais il a gagné des tas de prix.

— Est-il... en bonne santé ?

— Bien sûr ! s'écria Val. Il est fort comme... comme un cheval ! Evidemment, il n'est plus tout jeune, Teddy vient de te le dire. Et il n'y voit plus très bien, ce qui l'empêche de sauter. Je l'ai acheté à son propriétaire qui voulait le faire piquer parce qu'il ne pouvait plus remporter de prix.

— Hein ? Il voulait le tuer ?

— Exactement, dit Toby. Ce M. Merrill, le propriétaire, et sa fille trop gâtée ne se souciaient plus du tout d'un cheval devenu inutile à leurs yeux. Val lui a sauvé la vie et maintenant il lui appartient.»

Fièrement, Val conduisit Milton à une petite pièce qu'elle et Toby avaient convertie en ce qu'ils appelaient «la salle des trophées». Elle portait assez mal son nom car M. Merrill s'était bien gardé de donner à Val les magnifiques coupes et statuettes que Fantôme Noir avait gagnées jadis, mais il lui avait abandonné rubans et cocardes dont les couleurs vives brillaient dans la pénombre. Val désigna du doigt des articles de presse célébrant les victoires de Fantôme et que Toby avait encadrés et accrochés aux murs. Il y avait aussi des photos du champion, ainsi que sa selle et sa bride, bien astiquées.

Milton parut impressionné.

«C'était vraiment un champion! murmura-t-il.

— Qu'est-ce qu'on te disait! fit Teddy.

— Et maintenant, allons lui dire bonjour. lança Val. Un peu plus tard, dans la journée, tu pourras le monter dans l'enclos.

— Moi aussi! cria Teddy. Je peux monter à cru. Et toi, Milton, en es-tu capable?

— Je n'ai jamais essayé. Mais je crains de ne pas pouvoir le monter du tout.

— Bien sûr que si», fit Val en se dirigeant vers la dépendance qui servait d'écurie à Fantôme. C'est dans cette annexe que le docteur Taylor logeait ses patients les plus encombrants. « Bien sûr que si, répéta-t-elle. Fantôme est doux comme un mouton.

— Le problème n'est pas là, expliqua Milton. Mais je ne suis pas autorisé à faire de l'équitation sans ma bombe. Mon maître de manège est formel là-dessus. Sans bombe sur la tête on risque, en cas de chute, de se briser le crâne.

— C'est pas possible, un gars pareil! gémit Teddy en sourdine.

— Je te prêterai ma bombe, promit Val. Elle te sera un peu grande, mais ça vaudra mieux que rien.

— Non, merci, Vallie. Si elle n'est pas à ma taille, elle ne me protégera pas correctement. Je me contenterai de caresser ton cheval. »

Teddy se haussa jusqu'à l'oreille de sa sœur.

« Non mais je rêve! Il se prend pour quoi, ce môme? Pour une poupée en porcelaine?

— On dirait bien qu'il est en sucre », admit Val dans un soupir. Et tout haut : « Entendu, Milton. Ah! Nous y voilà! Entre dans la stalle et caresse-le. Et ne te tracasse pas : il ne mord jamais. »

A la vue de sa petite maîtresse, Fantôme Noir s'ébroua de plaisir. Elle lui mit les bras autour du cou et le fit tenir tranquille pendant que Milton le flattait de la main.

« C'est un cheval magnifique! déclara le petit citadin. Quel dommage que je ne puisse le monter!

— Je vais le lâcher dans l'enclos, annonça Val tandis que son frère et Toby caressaient le cheval. Et puis, il sera temps de me mettre au travail. Toby, tu pourrais montrer à Teddy et à Milton la vache de M. Fletcher. Elle est presque guérie de sa gale et va pouvoir bientôt rentrer à la ferme.

— Si ça ne te fait rien, Vallie, pria Milton avec son habituelle politesse, j'aimerais mieux ne pas voir une vache galeuse. Oncle Ted m'a dit qu'il avait besoin de moi. As-tu un travail à me confier?

— Heu... » fit Val en se torturant les méninges. Quelle besogne pouvait-elle assigner à Milton et à Teddy? Toby vint à son secours.

« Je sais! lança-t-il. Le docteur m'a demandé de peindre la barrière de devant et ça me prendra bien une semaine à moins que les deux garçons ne m'aident. Venez, vous autres! Je vais vous montrer où prendre la peinture et les pinceaux. »

Val poussa un soupir de soulagement et sortit Fantôme de son box. Comme elle le conduisait à l'enclos, elle entendit Milton qui disait :

« Puis-je me laver les mains? Elles sentent le cheval. »

Val leva les yeux au ciel. Elle aimait l'odeur de Fantôme : celle d'un cheval bien soigné. Erin affirmait parfois en riant que, alors que les autres filles se parfumaient à la rose ou à la violette, Val embaumait l'essence de cheval. Et Val admettait qu'elle avait raison.

Elle eut une pensée reconnaissante pour Toby. Grâce à lui les deux gamins seraient occupés tandis qu'elle-même seconderait son père.

Deux heures plus tard, celui-ci annonça à sa fille :

« Et voilà, Vallie ! Tu peux rendre Popcorn à son maître. »

Popcorn était un lapin géant qui avait des ennuis avec ses oreilles. En le soulevant de la table d'examen, Val constata qu'il devait bien peser six kilos, plus du double du poids de ses propres lapins ; Flopsy, Mopsy, Cottontail et Sam. C'était un lapin gigantesque, d'une race particulière. Elle l'emporta dans la salle d'attente.

« Voici ton lapin, Ben ! dit-elle en tendant l'animal terrifié à son petit maître, un gamin de dix ans. Prends ce flacon ; il contient un remède. Tu en mettras une goutte dans chaque oreille de Popcorn trois fois par jour. Si ça n'allait pas mieux, passe-nous un coup de fil. Mais je crois qu'avec ce médicament, tout ira bien. »

Quand Ben eut réglé ce qu'il devait à la réceptionniste, Pat dit à Val :

« M. Pollard, l'éleveur de porcs, a téléphoné. Il doit passer te voir vers onze heures et demie. »

Val consulta sa montre : c'était presque l'heure. Pour quelle raison M. Pollard avait-il téléphoné ? Ce devait être à cause de Pitchounet. Pourvu que le malheureux animal ne soit pas mourant ! Pourtant, s'il l'avait été, M. Pollard aurait alerté le docteur, pas Val !

« Il n'a pas donné d'explication ? demanda Val à Pat.

— Non. Il a simplement dit qu'il allait passer te voir... Ton père est-il prêt pour la consultation suivante ?

— Oui... juste une minute ! »

Val se précipita vers la fenêtre pour regarder au-dehors. Mais la camionnette au cochon dansant de M. Pollard n'était pas en vue.

Elle aperçut seulement Toby, Teddy et Milton qui peignaient la barrière.

Le docteur passa la tête par l'entrebâillement de la porte de son cabinet :

« Au suivant ! s'il vous plaît.

— C'est Duke ! annonça M. Ward en se levant. Aux pieds, Duke ! »

Obéissant, le minuscule chihuahua se blottit aux pieds de son maître et resta là, tout tremblant. Il était moins gros que le lapin du petit Ben.

« Par ici, monsieur Ward ! » dit Val après un dernier coup d'œil par la fenêtre.

Tout en introduisant le chien et son maître dans le cabinet paternel, elle continuait à se tracasser pour Pitchounet. Allait-il plus mal, le pauvre ? Ah ! Si seulement on lui avait permis de prendre soin de lui, elle l'aurait vite remis sur pied !

Quand Duke en eut fini avec ses piqûres, Val retourna dans la salle d'attente. Ce fut pour y trouver M. Pollard sagement assis, un gros carton sur les genoux.

« Oh, monsieur Pollard ! s'écria-t-elle aussitôt. C'est Pitchounet que vous nous amenez ?

— Tout juste ! »

Val plongea son regard dans la boîte en carton. Le petit cochon leva vers elle ses yeux bleus bordés de longs cils pâles. Un énorme ruban bleu était noué autour de son cou pour s'épanouir en un nœud du plus gracieux effet. Pitchounet n'avait guère grossi depuis la dernière fois que Val l'avait vu mais il ne semblait pas malade. Il ne toussait plus.

« Hé, Pitchounet ! dit Val en le caressant. Comment va ? »

L'éleveur répondit à la place du porcelet :

« Il va bien pour l'instant, mais ça ne saurait durer. Ses frères et sœurs ne lui laissent pas sa chance. Voilà pourquoi je vous l'apporte. Il est à toi, Vallie !

— A moi ? répéta Val en ouvrant des yeux ronds.

— Mais oui. Ma femme et moi, nous sommes tombés d'accord : puisque tu as eu un coup de cœur pour Pitchounet, nous te le donnons. C'est un cadeau de nous deux.

— Eh bien, n'es-tu pas contente, Vallie ? demanda Pat. Ce n'est pas tous les jours qu'on reçoit un cochon en cadeau. Qu'est-ce que tu attends pour dire merci ?

— Je suis tellement surprise... oh, merci, monsieur Pollard ! Merci, merci ! »

Elle prit le petit cochon dans ses bras et le berça tendrement, comme elle l'eût fait d'un bébé. Pitchounet parut ravi et frotta son groin contre le menton de Val.

« Voilà un gentil petit cochon! déclara Mme Stam qui attendait avec son chat Ruffles. Mais il n'est pas bien gras, le pauvre!

— Hé oui. C'est un raté de la portée de ma truie. Comme je n'ai pas le temps de m'en occuper moi-même, je l'offre à Vallie.

— Si tu prends bien soin de ton protégé, Vallie, assura Mme Stam, il engraissera sûrement. Et il donnera d'excellentes côtelettes!

— Jamais personne ne mangera Pitchounet! » protesta Val en frissonnant.

Le docteur ouvrit la porte au même instant :

« Ruffles peut entrer, Vallie... » commença-t-il. Puis il aperçut Pitchounet dans les bras de sa fille. « Qu'est-ce que ce petit cochon fait ici? demanda-t-il. Est-il de nouveau malade?

— Oh, non, répondit l'éleveur. Il va très bien au contraire. C'est un présent pour Vallie. Ce gros nœud bleu est une idée de ma femme... pour mieux présenter le cadeau!

— Ma foi, Luke, c'est très gentil à vous, mais...

— Ne me remerciez pas, coupa M. Pollard vivement. Après tout, docteur, c'est bien le moins que je puisse faire. Vous avez sauvé toute la portée de Sadie... Allons, il faut que je rentre à la ferme. Je suis déjà en retard. Bien content que Pitchounet soit chez vous ! »

Comme la porte se refermait sur lui, Val expliqua au docteur sidéré :

« Vraiment, papa, je n'y suis pour rien ! Je connais la règle... aucun nouvel animal à la maison à moins que tout le monde soit d'accord. Mais je ne savais que faire ni que dire.

— Ce n'est pas ta faute, Vallie », déclara le docteur. Et, soudain, il éclata de rire : « Il semble que nous ayons un nouveau protégé, duchesse !

— Duchesse ? répéta Val sans comprendre.

— Oui. Rappelle-toi... Dans *Alice au pays des merveilles*, quand la duchesse saupoudre de poivre le bébé qui se transforme en porcelet.

— Oh, je m'en souviens, en effet, dit Val, riant aussi. Alors... je peux le garder ?

— Je crois que nous n'avons pas le choix !

— Merveilleux ! s'écria Val en serrant si fort Pitchounet contre elle qu'il poussa un grognement. Pitchounet Taylor, tu fais désormais partie de la famille ! »

Le docteur se tourna vers Mme Stam :

« Désolé de vous avoir fait attendre, chère madame. Pourquoi m'amenez-vous Ruffles ? Encore une histoire de boules de poils, je parie ?

— Vous savez ce que c'est! commença Mme Stam en le suivant dans son cabinet. Quand il lèche ses longs poils... »

Val dorlotait toujours le porcelet quand Toby, Teddy et Milton entrèrent dans la salle d'attente.

« Nous avons peint toute la barrière! annonça fièrement Toby. Teddy et Milton ont fait de l'excellent travail. Teddy a été le plus rapide, mais Milton le plus minutieux.

— Pourtant, je n'ai pas pu éviter de me salir, déclara Milton en considérant son pantalon souillé de peinture. Mais Teddy a encore plus de taches que moi! »

C'était vrai. Les jeans de Teddy étaient à présent plus blancs que bleus. Soudain, le gamin donna une bourrade à son cousin... une bourrade amicale.

« Tu es un sacré bon travailleur, Milton! » dit-il.

Milton sourit. Val remarqua que ses lunettes étaient maculées de minuscules traces de peinture, mais le petit garçon ne semblait pas s'en apercevoir.

« C'est la première fois que je peignais, expliqua-t-il. Quand mes parents ont quelque chose à peindre, ils font venir un ouvrier. Mais *j'aime* peindre! »

Soudain il aperçut le porcelet.

« Quel amusant petit cochon! s'exclama-t-il. Est-il malade?

— Dis donc, Vallie, ce ne serait pas Pitchounet, par hasard? s'écria Teddy. Que fait-il ici?

— Il est à moi, expliqua Val, rayonnante. M. Pollard m'en a fait cadeau et papa consent à ce que je le garde.

— Ça, alors! fit Toby. Quand on l'aura engraissé, il donnera un tas de boudins et de saucisses. »

Val le foudroya du regard.

« Excuse-moi, Val. J'oubliais que tu ne manges pas de viande.

— Pitchounet est un animal de compagnie. Le manger serait comme dévorer Cleveland, Jocko ou Sunshine. »

Milton ne cessait d'examiner le porcelet à travers ses lunettes éclaboussées de peinture.

« Les cochons sont des animaux très intelligents, déclara-t-il. J'ai lu ça dans un livre. Et j'adore les histoires de Freddy, le cochon détective. Papa m'a donné tous ses albums... ceux qu'il lisait quand il avait mon âge.

— C'est vrai, acquiesça Val. Les cochons sont intelligents. Ils peuvent apprendre toutes sortes de tours.

— Tu es dingue! s'exclama Teddy. Les porcs sont malins quand ils sont petits. Mais, en grandissant, ils deviennent stupides. Je n'ai jamais entendu parler d'un cochon aussi intelligent qu'un chien.

— Freddy, le cochon détective, vient à bout de tous les problèmes mystérieux qui se posent à la ferme de son maître, dit Milton.

— Ce ne sont que des histoires! Pas des faits de la vie réelle!

— C'est vrai, ce ne sont que des histoires, admit Val. N'empêche que les porcs sont intelligents. Et je suis sûre que Pitchounet l'est particulièrement.

— Après tout, peu importe! grommela Teddy en jetant un coup d'œil à la pendule de la réception. Dis donc, Vallie! Eric, Billy et Sparky doivent venir à la maison à midi et demi, pour déjeuner et faire la connaissance de Milton. Ensuite, nous jouerons au base-ball dans le terrain vague derrière la maison de M. Myer. Papa a-t-il fini ses consultations? Il doit nous ramener à la maison, Milton et moi. »

Val déposa Pitchounet dans son carton et expliqua :

« Il est en train de soigner Ruffles Stam pour ses boules de poils.

— Des boules de poils? Qu'est-ce que c'est? demanda Milton.

— Exactement ce que ça veut dire. Les chats, et en particulier ceux qui ont le poil long, avalent des boules de poils quand ils se lèchent. Cela les rend malades. Il faut alors leur faire ingurgiter un remède qui dissout les poils.

— C'est dégoûtant, déclara Milton. Tu n'en as pas assez, de soigner des animaux malades tout le temps ?»

Avant que Val n'ait eu le temps de répondre, Toby répliqua :

« Non, Milton, ça ne l'ennuie pas le moins du monde, et moi pas davantage. Nous aimons soigner les animaux. C'est si merveilleux quand on arrive à les soulager !

— Quand je serai grande, enchaîna Val, je serai vétérinaire, comme papa. Les bêtes ont besoin de médecins, comme les gens. Nous serions tous dans un joli état si personne ne prenait soin de nous quand nous sommes malades. »

Milton médita ces paroles.

« Oui, dit-il à la fin. Je suppose que tu as

raison. Je consulte souvent des docteurs : l'ophtalmo, le dentiste, le pédiatre. Je me demande s'ils n'en ont pas assez de me soigner !

— Jamais, tant que tes parents paieront la note », répondit Toby en ricanant.

Teddy ne tenait plus en place.

« Je voudrais bien que papa se dépêche un peu !

— Moi, affirma Milton, ça m'est égal d'attendre. Je vais lire. » Il s'assit sur un des bancs et prit une revue intitulée *La santé de nos amies les bêtes*.

Toby rassembla les pots de peinture et les pinceaux et sortit pour ranger les uns et nettoyer les autres. Quelques minutes plus tard, Mme Stam et Ruffles reparurent, accompagnés du docteur qui les mena jusqu'à la sortie.

« Alors, les garçons ! Prêts ? demanda celui-ci.

— Et comment ! répondit Teddy en se précipitant vers la porte.

— Milton ! appela Val. Papa va partir !

— Vraiment ! dit le gamin en levant le nez de sa lecture. J'étais en train de lire une passionnante histoire sur les porcs. Il paraît qu'on a réussi à entraîner des cochons à disputer des courses entre eux. Les animaux sont donc vraiment intelligents. J'aurais bien aimé finir cet article.

— Tu n'as qu'à emporter le magazine, Milton, suggéra le docteur. Tu finiras de le lire plus tard.

— Merci, oncle Ted, répondit Milton en fourrant la revue sous son bras. Au revoir, Vallie. » Il se pencha au-dessus du carton de Pitchounet. « Au revoir, Pitchounet ! Tu es le premier cochon que je rencontre, mais tu parais bien mignon. » Il s'approcha ensuite du bureau de la réception. « Au revoir, madame Dempwolf. J'ai eu grand plaisir à faire votre connaissance.

— Moi de même », assura Pat en souriant.

Quand Milton eut disparu à la suite du docteur, elle déclara à Val :

« Je n'ai jamais rencontré de jeune garçon aussi bien élevé. Quelles charmantes manières ! Il a même dit au revoir à ton cochon !

— C'est un parfait petit gentleman, acquiesça Val. Je souhaiterais seulement qu'il se décoince un peu. Si quelqu'un peut arriver à le transformer en un petit garçon normal, c'est la bande de copains de Teddy. » Elle regarda par la fenêtre Milton qui grimpait dans la voiture de son oncle. « J'espère que, quand nous rentrerons à la maison ce soir, papa et moi, nous découvrirons que Teddy et Milton sont devenus une paire d'amis ! »

Un grognement et un coup sourd lui firent tourner la tête. Pitchounet, las d'être confiné dans sa boîte, l'avait renversée. A présent le porcelet amorçait une course effrénée à travers la salle d'attente, glissant sur ses petits sabots.

« Regardez un peu cet animal! s'exclama Pat. Quand il sera grand, peut-être deviendra-t-il un de ces porcs bons pour la course dont ton cousin Milton parlait tout à l'heure.

— J'ai idée qu'il a besoin d'exercice, dit Val. Je vais l'emmener faire un tour! »

Elle s'approcha du bureau de la réception pour fourrager dans le dernier tiroir et finit par trouver ce qu'elle cherchait : un collier et une laisse qui avaient appartenu à Jocko quand il était petit.

Otant le beau ruban bleu, elle le remplaça par le collier. Il était juste à la taille du cou de Pitchounet.

Val fixa alors la laisse, puis, se tournant vers Pat :

« Nous serons de retour dans quelques minutes. Vous savez, Pat, je parie que je pourrai lui apprendre à faire le beau, comme un chien, quand il sera plus grand.

— Décidément, j'aurai tout vu! s'exclama Pat en riant. Un cochon au bout d'une laisse. Oh! là! là! »

Mais Pitchounet, bien campé sur ses

pieds, refusa de bouger quand Val se mit à tirer doucement sur la laisse.

« Allons, viens, mon petit Pitchounet ! dit-elle d'une voix cajoleuse. Nous allons nous promener. Il fait beau. Une vraie journée de printemps. L'air te fera du bien. »

Finalement, elle réussit à persuader le porcelet de cesser toute résistance et de faire quelques pas. Elle ouvrit la porte. Pitchounet leva la tête et respira l'air frais.

Alors, sans crier gare, il se précipita dehors de toute la vitesse de ses petites pattes, entraînant Val accrochée à la laisse et forcée de courir derrière lui.

« Hé ! Espèce de cochon supersonique ! cria-t-elle. Attends-moi ! »

6

Ce soir-là, quand tout le monde eut pris place autour de la table du dîner, Val commença à servir les excellents plats que Mme Racer avait préparés. Elle avait déjà donné son biberon à Pitchounet et le porcelet sommeillait paisiblement dans sa boîte en carton, à côté de la chaise de la jeune fille. Cleveland, assis à quelque distance, surveillait le petit cochon avec des yeux gourmands, comme s'il devinait qu'à l'intérieur de l'animal se cachaient de savoureuses côtelettes.

« Alors, Milton ? demanda gaiement le docteur. T'es-tu bien amusé avec les amis de Teddy ?

— C'était... heu... très instructif!» répondit le garçon en se servant sans entrain.

Teddy grogna.

«Instructif! Je pense bien. Instructif, surtout au moment où nous avons attaqué la pizza et que Milton s'est mis à nous parler de poils de rats! Sparky a failli vomir!

— Quels poils de rats? demanda Val, surprise.

— Ceux à l'intérieur de la pizza surgelée, expliqua Milton, très calme. J'ai récemment lu un article où l'on raconte qu'en testant plusieurs pizzas surgelées, on s'était aperçu que certaines d'entre elles contenaient des poils de rats. Cependant, je suppose que la chaleur du four doit tuer la plupart des microbes.

— Et après ça, enchaîna Teddy, ce fut vraiment très instructif quand Eric, pendant notre partie de base-ball, a lancé sa balle. Cet emplâtre de Milton...

— Teddy!» gronda le docteur.

Mais le gamin était lancé.

«Cet emplâtre de Milton était là, debout comme un piquet. Et au moment où la balle est arrivée sur lui, au lieu d'essayer de la rattraper, il a fui à toutes jambes! Alors, tandis que l'équipe d'Eric aurait dû être battue, c'est la mienne qui l'a été! Tout ça, parce que Milton a eu la frousse d'attraper la balle.

— Allons, allons, Teddy, déclara Val. Ce n'est pas si grave. Après tout, vous ne disputiez pas un match! Calme-toi!»

Milton reposa sa fourchette.

«Je n'ai plus faim, dit-il. Je crois que je suis allergique au pot-au-feu. Est-ce que je peux monter dans ma chambre?

— Personne n'est allergique au pot-au-feu, affirma le docteur. Veux-tu goûter aux légumes de Vallie?

— Non, merci, oncle Ted. Je ne me sens pas très bien. Je voudrais pouvoir m'étendre.

— Très bien. Nous t'appellerons pour le dessert. Mme Racer a fait un gâteau au chocolat tout spécialement pour toi.

— Quand je mange du chocolat, j'ai de l'urticaire», murmura Milton en se levant de table.

Ses traits étaient tirés et il avait pâli. Personne ne souffla mot quand il quitta la cuisine. Le docteur fit les gros yeux à son fils.

«Teddy, tu t'es très mal conduit. Au lieu de mettre ton cousin à l'aise, tu le rends malheureux.

— C'est lui qui me rend malheureux! s'exclama Teddy. Aucun de mes copains ne veut revenir tant que Milton sera ici. C'est une catastrophe, papa! Je ne l'aime pas et il me le rend bien. Ne peux-tu le renvoyer chez lui ? C'est ce qu'il souhaite, et moi aussi !

— Tu es injuste envers ton cousin, dit Val. Uniquement parce qu'il n'aime pas les mêmes choses que toi, tu es méchant envers lui.

— Je ne suis pas méchant ! Je ne l'aime pas, c'est tout. Je regrette qu'il soit mon cousin. Je voudrais qu'il s'en aille. »

Là-dessus, il croisa les bras sur la table et posa son menton dessus, d'un air buté.

« Teddy ! lança son père. Je crois qu'il est temps que nous ayons une conversation d'homme à homme à propos de ton cousin Milton.

— Si vous n'avez pas besoin de moi, déclara Val, j'en profiterai pour monter un verre de lait et des biscuits à Milton. »

Teddy marmonna quelques mots qu'elle saisit mal.

« Que dis-tu, Teddy ?

— Je dis que tu agis comme si tu préférais Milton à moi.

— Quelle sottise ! protesta Val.

— Ce n'est pas une sottise. C'est vrai ! insista Teddy, à présent au bord des larmes. Tout le monde ici le traite comme un prince. Depuis son arrivée, tout ce que je fais est mal. Papa et toi, vous ne cessez de me dire qu'il faut que je sois gentil avec lui. Et Pat trouve qu'il est un parfait petit gentleman. Même Toby trouve qu'il peint mieux que moi.

— Oh, Teddy! soupira le docteur en passant un bras autour des épaules du gamin. Val a raison. Tu dis des sottises. Tu sais bien que nous ne te préférons pas Milton. Nous voulons seulement qu'il se sente bien durant son séjour chez nous.

— Est-ce que quelqu'un s'inquiète de savoir si je me sens bien et si je suis heureux? riposta Teddy.

— Mais certainement. Nous désirons que vous soyez heureux tous les deux, mais jusqu'ici cela n'a pas trop bien marché. Voyons, fiston, as-tu une idée pour que les choses aillent mieux?

— Heu... eh bien... je ne sais pas trop...» commença Teddy.

Val décida de les laisser discuter. Elle prit Pitchounet sous un bras et, de sa main libre, saisit un plateau sur lequel elle avait disposé un verre de lait et quelques biscuits.

«Allez, viens, Pitchounet! dit-elle. Montons!»

Arrivée devant la porte de la chambre d'Erin, elle frappa un petit coup du bout de son soulier.

«On peut entrer?» demanda-t-elle.

Aucune réponse ne lui parvint. Val poussa un peu la porte qui s'ouvrit, et elle jeta un coup d'œil à l'intérieur de la pièce.

Une forme menue gonflait le couvre-pied d'Erin. Cela faisait une sorte de bosse, animée d'un léger tremblement. Val crut percevoir des sanglots étouffés. Déposant Pitchounet sur le plancher, elle s'approcha du lit et mit son plateau sur la table de chevet. Puis, elle tapota gentiment le couvre-pied.

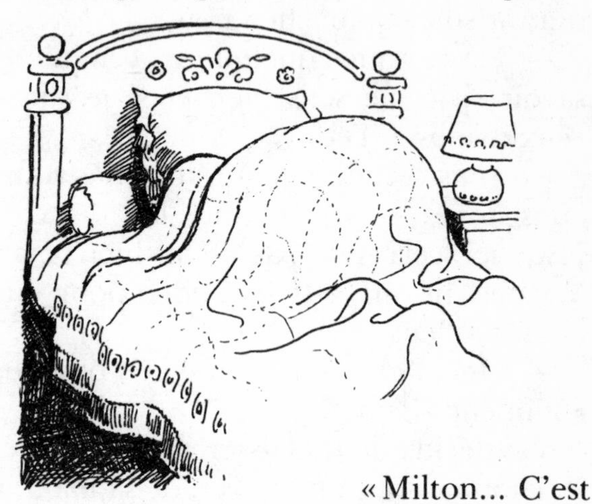

« Milton... C'est Vallie. Je t'ai monté un plateau. »

La bosse s'agita et la tête de Milton surgit. Ses cheveux étaient ébouriffés et ses yeux rouges et gonflés.

« Mm... merci, Vallie, coassa-t-il en reniflant. C'est mon allergie, continua-t-il en s'essuyant les yeux avec sa manche. Je dois être allergique à ce canari. »

Dans sa cage, Pissenlit poussa ce qui ressemblait fort à un cri de protestation indignée.

« Et je suis aussi allergique à Jocko, à Sunshine et à Cleveland, poursuivit le gamin.

— Je suis persuadée du contraire, dit doucement Val. Tiens! Prends ce mouchoir et mouche-toi!... Très bien. Voyons, es-tu allergique au lait et aux gâteaux?

— Je ne crois pas! » admit le garçon.

Pendant qu'il buvait une gorgée de lait et grignotait un biscuit, Pitchounet, livré à lui-même, commença par inspecter la pièce, puis vint se blottir aux pieds de Val, en poussant de petits grognements tristes.

« Qu'est-ce qu'il a, Pitchounet? demanda Milton.

— Je crois qu'il s'ennuie de sa ferme, répondit Val en prenant le porcelet dans ses bras. Même si ses frères et sœurs n'étaient pas très gentils avec lui, il les regrette. Et sa mère lui manque aussi. C'est la première fois qu'il est séparé de sa famille. Le pauvre doit se sentir un peu perdu et solitaire.

— Je le comprends! soupira Milton. Mais ce serait pire s'il avait été heureux chez lui et qu'on l'envoie vivre avec des gens qu'il ne connaît pas. Ça, ce serait terrible! »

Deux grosses larmes jaillirent soudain des yeux du gamin et coulèrent le long de ses joues. Val lui tendit un autre mouchoir en papier.

« Je ne serais pas surprise, déclara-t-elle

gravement, s'il se découvrait un tas d'allergies. »

Milton se recroquevilla dans son lit.

« Je n'ai pas vraiment d'allergies », avoua-t-il. Et Val devina qu'il faisait un gros effort pour ne pas pleurer.

Elle suggéra avec douceur :

« Peut-être que tu regrettes ton chez-toi, comme Pitchounet. »

Milton fit signe que oui, tout en réprimant un sanglot.

« Tout est tellement différent pour moi ici ! soupira-t-il. Je ne suis pas habitué à voir tant d'animaux et tant de gens étranges. »

Val sourit.

« Nous ne sommes pas aussi étranges que ça, tu sais ! Tu t'en rendras compte quand tu nous connaîtras mieux.

— Oh ! Par " étranges " je voulais dire... qui ne me sont pas familiers. Ma mère me manque. Et mon père. Et mes amis. Même le portier de notre immeuble me manque ! Ne sois pas fâchée, Vallie ! Toi et oncle Ted, vous vous efforcez de m'aimer, je le vois bien. Mais Teddy...

— Je t'arrête tout de suite, coupa Val. Nous ne nous efforçons pas de t'aimer, Milton. Nous t'aimons réellement.

— Mais pas Teddy. Ni ses amis. Ils me trouvent empoté et froussard. Si, si, je t'assure ! insista-t-il sans laisser à Val le loisir de protester. J'ai entendu cette fille... Sparky... le dire à Teddy. Et lui me trouve mollasson. Ce n'est pas ma faute si je ne comprends rien au base-ball. Je n'ai jamais été bon pour les sports. Je préfère la lecture ou les jeux électroniques. Vallie! Je voudrais rentrer chez moi!»

Là-dessus, il enfouit son visage dans son oreiller et se mit à sangloter. Val, ne sachant trop que faire, lui tapota l'épaule.

«Psst! Vallie!»

Le chuchotement, venu de la porte, lui fit tourner la tête. C'était Teddy. Elle lui fit signe de s'éloigner, mais il entra.

«Papa dit que je dois m'excuser! déclara-t-il. Alors, je suis venu.»

Milton se retourna.

«A présent, tu pourras dire que tu m'as vu pleurer comme un bébé. Mais ça m'est égal. Je ne te ressemble pas, Teddy. Malheureusement, je n'y peux rien.

— Ecoute, mon vieux, commença Teddy d'un air gêné. Je suis désolé pour aujourd'hui. C'est pas ta faute si t'es un mollasson. J'aurais dû savoir que ça t'ennuyait de jouer au base-ball. J'aurais dû te demander ce qui te plaisait. Demain, on fera ce que tu voudras. T'auras qu'à choisir.

— C'est... c'est gentil de ta part, Teddy. Pour l'instant, je n'ai pas d'idée... à moins, ajouta-t-il tandis que son petit visage s'éclairait un peu... à moins que tu ne veuilles que je t'apprenne à jouer aux échecs. C'est vraiment intéressant.

— D'accord, fit Teddy en haussant les épaules, si c'est ça que tu veux. »

Val remarqua qu'il n'avait pas l'air très emballé. Milton le remarqua aussi. Son visage reprit une expression désolée. Aucun des deux garçons ne formula d'autre suggestion. Val se dit qu'il lui fallait trouver très vite quelque chose, avant que Milton ne se remette à pleurer et Teddy à broyer du noir. Quelles vacances, seigneur !

Désespérément, elle tenta de se rappeler quelque chose capable d'intéresser Milton... en dehors des échecs. Il aimait peindre les barrières... mais elle n'avait plus de barrière à lui offrir. Il aimait bien aussi Fantôme Noir... mais il refusait de le monter sans sa bombe.

Soudain, son regard accrocha *La santé de nos amies les bêtes* que Milton avait rapporté de l'*Arche de Noé*. On voyait, sur la couverture, des cochons en train de faire la course : l'illustration même de l'article qui avait tant plu au petit garçon.

Oui, il aimait ces animaux et, en particulier, Pitchounet.

« Dites donc, jeunes gens, fit brusquement Val d'un air soucieux. Savez-vous que j'ai un problème avec notre petit Pitchounet ?

— Un problème! Quel problème? demanda Teddy.

— Eh bien, comme je le disais à Milton tout à l'heure, Pitchounet ne se sent pas bien seul sans sa famille. Et il va se sentir bien plus seul encore quand je ne serai pas ici pour prendre soin de lui.

— Tu veux dire... quand tu travailleras à l'*Arche de Noé* avec oncle Ted? précisa Milton. Mais tu pourrais emmener Pitchounet avec toi.

— Bien sûr, que je le pourrais! répondit Val en poussant un soupir. Malheureusement, ça ne vaudrait guère mieux pour lui. Je serai si occupée que je n'aurai pas le temps de jouer avec lui ou de le cajoler. Et demain, après mon travail, je dois aller chez Jill... Jill est ma meilleure amie, tu sais, Milton... Et je me fais du souci en pensant que mon petit protégé restera seul toute la journée et se sentira de plus en plus abandonné. Peut-être devrais-je téléphoner à M. Pollard pour lui dire qu'il m'est impossible de garder Pitchounet et lui demander de le reprendre.

— Mais tu dis que ses frères et sœurs ne sont pas gentils pour lui, rappela Milton.

— C'est vrai, ça! s'écria Teddy. Et s'il retourne à la ferme, sa mère risque de l'étouffer sous elle. Non, non, Vallie, tu ne peux pas le rendre à M. Pollard!

— Comment! hurla presque Milton. Sa mère pourrait l'étouffer? Mais c'est terrible, ça!

— Hé oui, je le sais bien! soupira Val d'un air attristé. Mais je ne vois pas d'autre solution à mon problème.» Elle baissa les yeux sur le porcelet blotti dans ses bras. «Pauvre Pitchounet! continua-t-elle. J'aurais bien préféré te garder mais, à moins que je ne trouve quelqu'un pour veiller sur toi... (ici un coup d'œil furtif en direction des deux garçons)... je crois qu'il va te falloir retourner à la ferme. Et si tu survis, tu finiras de toute façon en jambon et en côtelettes.»

Milton s'était redressé dans son lit. Il tendit la main vers ses lunettes déposées sur la table de chevet, et les ajusta avec soin sur son nez.

« Non ! déclara-t-il d'une voix ferme. Pitchounet ne peut pas finir comme ça. Il est trop mignon.

— Hé ! s'écria Teddy. J'ai une idée ! Milton et moi, nous n'avons encore fait aucun projet pour demain, s'pas, Milton ? Eh bien, pourquoi ne nous chargerions-nous pas de tenir compagnie à Pitchounet ? Nous lui donnerions le biberon et jouerions avec lui. Comme ça il ne se sentirait pas seul.

— Je pourrais même lui apprendre des tours, enchaîna Milton. Comme le dit l'article que j'ai lu, les porcs sont très intelligents. »

Teddy fronça les sourcils.

« Tu rêves, mon vieux. Les porcs sont stupides.

— Pas du tout, ils sont intelligents.

— Eh bien, s'ils sont aussi malins que ça et si tu es toi-même aussi malin que tu le penses, essaie donc de lui apprendre des tours. Je parie que tu n'y arriveras pas.

— Pari tenu ! »

Val sourit. Elle était parvenue à ses fins.

« On peut toujours essayer, trancha-t-elle. Milton, tu as encore huit jours à passer ici. Je crois que tu as le temps d'enseigner pas mal de choses à Pitchounet avant de repartir chez toi.

— Sûr ! » approuva Milton tout joyeux. Soudain sa figure s'allongea. « Malheureusement, dans cet article, on raconte que les porcs entraînés pour la course aiment être récompensés par des friandises. Et Pitchounet ne boit que du lait.

— Il est assez vieux pour être sevré, déclara bien vite Val. Tous les deux, vous pourriez m'aider à le faire. Essayons de lui donner un de ces bons biscuits!»

Milton prit un biscuit sur le plateau à côté de lui et l'offrit au petit cochon. Pitchounet flaira le gâteau, puis en mordilla un morceau. Val et les garçons échangèrent des sourires ravis.

«Il aime ça! s'écria Teddy.

— Vous donnez les bons biscuits de Mme Racer à un cochon?» fit une voix. Personne n'avait entendu le docteur entrer dans la pièce.

«Oncle Ted! dit Milton avec feu. Demain, Teddy et moi, nous servirons de baby-sitters à Pitchounet. Et je lui apprendrai des tours!

— *Nous* lui apprendrons des tours, rectifia Teddy d'un air important. Milton pense qu'il pourra dresser tout seul Pitchounet, mais comme il n'entend rien aux animaux, il faudra bien que je l'aide.

— Quelle bonne idée!» s'écria le docteur, avec un clin d'œil complice à Val qui le lui rendit. «Et j'entre dans le jeu. Si vous parvenez à enseigner trois tours à Pitchounet avant que Milton ne nous quitte, je vous emmènerai tous chez *Curran* manger une glace.

— A condition qu'elle ne soit pas au chocolat, précisa Milton. Je suis vraiment allergique au chocolat.

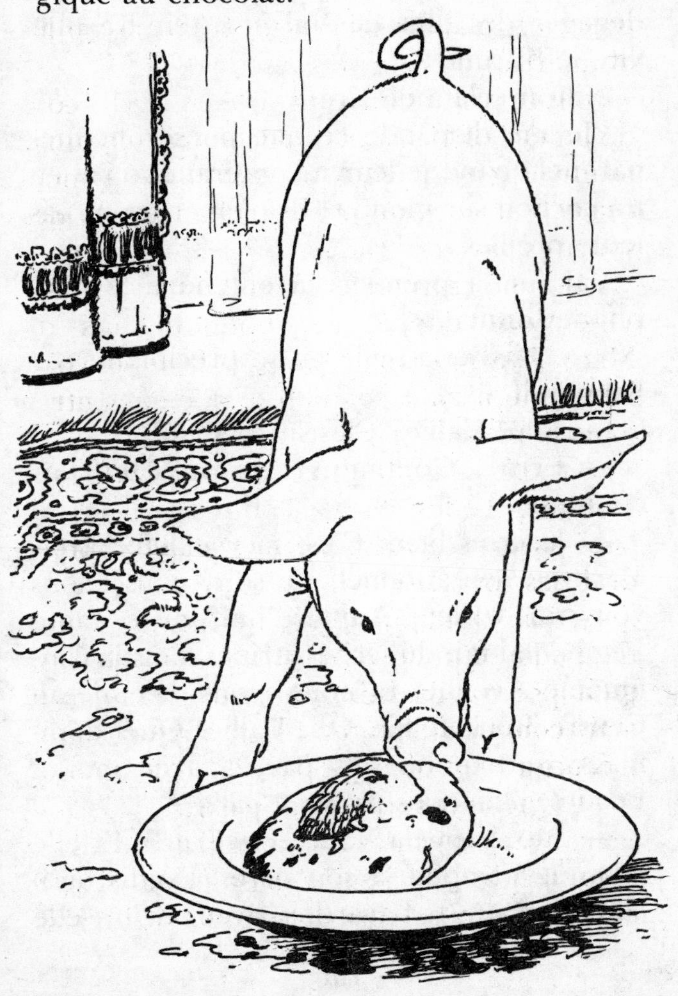

— Eh bien, pas moi! déclara Teddy.

— Ni moi», affirma Val.

Milton tendit une autre friandise au porcelet.

«Tiens, Pitchounet! Tu en veux encore?»

Le petit cochon se mit à gigoter pour se dégager des bras de Val et atteindre plus vite le biscuit.

Milton éclata de rire.

«Je me demande ce que penseront mes parents quand je leur raconterai que j'ai eu un cochon sur mon lit! Ils n'en croiront pas leurs oreilles.»

Val fut la première à entendre le téléphone sonner.

«J'y vais! cria-t-elle en se précipitant sur l'appareil.

— Allô! Vallie? C'est moi, Erin!

— Erin! Comment vas-tu? Tu es contente?

— Je crois bien. C'est merveilleux! New York est sensationnel. Ce soir, nous allons voir un ballet. Aujourd'hui, avec tante Peggy, j'ai fait du lèche-vitrines dans la Cinquième Avenue. Et nous avons déjeuné au Centre Rockefeller. Oh, Vallie! Quel dommage que tu ne sois pas ici avec moi!... Ecoute, j'aimerais parler à papa.

— Papa! appela Val. C'est Erin!» Et elle passa le combiné à son père. Tandis qu'il commençait à bavarder avec Erin, elle monta rejoindre Teddy et Milton qui jouaient avec Pitchounet.

« C'est Erin ? demanda Milton. Elle appelle de chez nous ? Pourrais-je parler à mes parents ? »

Sans attendre la réponse, il sauta au bas de son lit et se dépêcha de rejoindre le docteur. Quand celui-ci lui tendit le combiné, le petit garçon s'en saisit avec vivacité.

« Allô ! Maman ?... C'est moi, Milton. Devine un peu ! Sais-tu ce qu'il y a sur mon lit en ce moment ?... Un cochon ! Il s'appelle Pitchounet, parce qu'il n'est encore qu'un minuscule porcelet. Teddy et moi, nous allons prendre soin de lui quand Vallie sera occupée... Oh, oui, maman, c'est un petit cochon extrêmement propre... Oui, je me brosse régulièrement les dents trois fois par jour... Oui, oui, je prends mes pilules anti-allergie... Oui, je prends également mes vitamines... Oui, tout va très bien... Oui, vous me manquez aussi tous les deux. Ici, c'est différent de la maison, mais... » Du coin de l'œil, il aperçut Teddy, debout dans le hall. « Mais c'est très bien, acheva-t-il. Vraiment très bien. Je vous retrouverai dans huit jours ! »

Val se réjouit tout bas. Allons ! En fin de compte, les choses avaient l'air de vouloir s'arranger.

7

Les idées de Val étaient moins roses le lendemain matin. Etait-il bien prudent d'abandonner Pitchounet aux mains de deux baby-sitters improvisés ? Ni Teddy ni Milton ne s'y connaissaient en cochon. Ne risquaient-ils pas de fatiguer le porcelet en jouant trop longtemps avec lui ? Et Teddy, turbulent comme il l'était, ne le blesserait-il pas à la suite d'un mouvement maladroit ou trop violent ?

Val s'agenouilla à côté du carton de Pitchounet. Elle en avait tapissé le fond avec une vieille serviette éponge afin de lui ménager un lit bien chaud. Quand elle caressa le porcelet, il émit aussitôt de petits grognements et parut tout de suite bien éveillé. Attrapant un des doigts de sa protectrice, il commença à le téter.

« Tu as faim, pas vrai ? fit Val en riant. Attends un peu... le temps que je m'habille. Ensuite, nous descendrons et nous prendrons notre petit déjeuner. Je vais te préparer une bonne bouillie chaude. Ce ne sera peut-être pas aussi bon que les biscuits de Mme Racer, mais je parie que tu aimeras. »

Cleveland avait passé la nuit sur le lit de Val, comme d'habitude. Il bâilla, s'étira et sauta près du carton de Pitchounet. Puis, posant ses deux pattes de devant sur le rebord de la boîte, il tendit le cou. Son nez rose rencontra le groin du porcelet et les deux animaux restèrent là un moment, à se renifler intensément. Le chat orange était au moins aussi gros que le petit cochon... plus gros même si l'on tenait compte de sa longue queue touffue.

Soudain, Pitchounet bondit vers le chat, renversant son carton. Cleveland courut à la porte, le porcelet à ses trousses. Val n'eut que le temps de l'attraper pour l'empêcher de suivre le chat. Pitchounet se mit aussitôt à pousser des cris perçants, tout en se débattant comme un enragé.

« Du calme, Pitchounet ! » dit Val. Petit comme il était, elle avait bien du mal à le maintenir. Il ruait des quatre pattes à la fois. « Après tout, tu n'es pas aussi faible que je l'imaginais !

— Pourquoi tout ce vacarme ? demanda

le docteur en surgissant de sa chambre, l'air ensommeillé.

— C'est Pitchounet, hein? fit Teddy en passant la tête dans l'entrebâillement de la porte de sa chambre.

— Les cochons ont assurément une voix perçante, enchaîna Milton en paraissant à son tour.

— Tout va bien à présent», assura Val. Et de fait, calmé, Pitchounet reposait dans ses bras d'un air innocent.

Le docteur réprima un bâillement et s'étira.

«Voilà ce qui manquait à notre maison, lança-t-il. Un cochon réveille-matin.» Et il passa dans la salle de bains.

Teddy sortit de sa chambre, les yeux encore lourds de sommeil. «Bonjour, Pitchounet!» dit-il en le caressant. Val remarqua qu'il tenait Gros-Nounours par une de ses pattes mangées aux mites. Milton le remarqua aussi.

«Tu as un très gentil ourson», déclara-t-il.

Teddy s'immobilisa. Puis, soudain bien réveillé, il cacha Gros-Nounours derrière son dos.

«Quel ourson? demanda-t-il.

— Veux-tu me le montrer? pria Milton.

— Non!» hurla Teddy, soudain rouge comme une tomate. Sur quoi il retourna en courant dans sa chambre. Val devinait très bien ce que ressentait son petit frère. Le fait qu'il dorme toujours avec un jouet en peluche était un sombre secret qui ne devait pas filtrer hors de la famille. Teddy avait fait jurer à ses sœurs de ne jamais souffler mot de Gros-Nounours à ses amis qui, sinon, n'en auraient pas fini de se moquer de lui.

« Teddy ! Attends ! Ne t'en va pas ! » cria Milton.

Et lui-même se précipita dans la chambre d'Erin d'où il ressortit peu après, remorquant un lapin en étoffe bourrée de son et en aussi mauvais état que Gros-Nounours. Il lui manquait même un œil.

Teddy avait refermé sa porte derrière lui. Milton alla y frapper bien poliment.

« S'il te plaît, ouvre-moi ! Je veux te montrer quelque chose.

— Ouvre donc, Teddy ! » insista Val.

Pas de réponse.

« Teddy Taylor ! cria-t-elle plus fort. Vas-tu ouvrir cette porte ? » La porte s'entrouvrit d'un centimètre.

« Qu'est-ce qu'il y a ? »

Milton poussa fermement la porte et entra.

« Je te présente Roscoe, déclara-t-il en fourrant le lapin dans les bras de Teddy. Je le possède depuis toujours et suis incapable de m'endormir sans l'avoir à côté de moi. Je ne voulais pas t'en parler de peur que tu te moques de moi, acheva-t-il avec un timide sourire.

— Quand j'étais petite, expliqua Val, je dormais avec Gros-Nounours, puis je l'ai passé à Erin qui l'a passé à Teddy. »

Teddy considéra Milton, puis Val. Finalement, il alla prendre Gros-Nounours et le fit voir à son cousin.

« Je ne me moquerai pas de toi si tu ne te moques pas de moi, dit-il.

— C'est promis. Croix de bois, croix de fer, si je mens, je vais en enfer ! » répondit d'une voix solennelle Milton.

Les deux gamins s'entre-regardèrent en silence un moment, puis se sourirent. Ils étaient devenus copains.

Dans sa joie, Val serra si fort Pitchounet contre elle que le porcelet poussa un léger cri de protestation.

« Eh bien, puisque vous voilà d'accord, je vous laisse. Je dois songer au petit déjeuner. Il sera prêt d'ici une demi-heure, quand je serai habillée.

— Vallie, si ça ne t'ennuie pas, dit Milton, ne me donne pas de jambon. » Il jeta un coup d'œil à Pitchounet. « Je crois que je ne mangerai plus jamais de porc.

— Moi non plus ! lança Teddy.

— J'en suis enchantée ! fit Val, radieuse.

Que diriez-vous de flocons d'avoine, de fromage et de jus de fruits?

— Ça me va, déclara Teddy en balançant Gros-Nounours par une patte.

— A moi aussi, ajouta Milton en serrant Roscoe contre lui.

— A qui le tour? demanda le docteur en libérant la salle de bains.

— A moi!» s'écria Val.

Elle alla en vitesse déposer Pitchounet dans sa chambre et courut faire sa toilette.

L'après-midi de ce même jour, Val, comme convenu, rendit visite à son amie Jill Dearborne. Ensemble, elles commencèrent par aller voir un film au Capitole, la seule salle de spectacle de la ville. Puis elles retournèrent chez Jill. A présent, elles buvaient une boisson fraîche en attendant que le maïs que Jill avait mis sur le feu soit cuit.

« Que vas-tu faire de Pitchounet quand il sera grand ? demanda Jill, curieuse.

— Je n'y ai pas encore pensé, confessa Val. J'ai été si surprise quand M. Pollard me l'a offert et que papa m'a permis de le garder, que je n'ai pas réfléchi plus avant.

— Quand ton Pitchounet sera bien gros et bien gras, je suis sûre que M. Pollard ne fera aucune difficulté pour le reprendre.

— Ça, c'est évident ! Il en serait même ravi... ravi de pouvoir le transformer en " excellente charcuterie Pollard " ! Pas question, Jill !

— Il faut reconnaître que la perspective est peu réjouissante, admit Jill... Ah ! je crois que le maïs est prêt ! » Elle souleva le couvercle de la casserole et versa dedans du beurre fondu. « Tiens, sers-toi ! » Val obéit.

« Miam ! C'est bon ! lança-t-elle. Dis donc, je pense soudain à la *Réserve*. Ils ont bien recueilli le singe Gigi et le petit Leo. Peut-être accepteraient-ils de prendre un porcelet dans leur zoo !

— Peut-être, répéta Jill. Mais un singe et un lionceau peuvent être étiquetés " bêtes sauvages ", tandis que Pitchounet... Ma foi, un cochon n'est rien d'autre qu'un cochon, si tu vois ce que je veux dire.

— Oh, mais Pitchounet est différent. Il est vraiment peu ordinaire, tu sais. Et si intelligent !

— Voyons, Vallie. Ce n'est qu'un tout jeune porcelet. Comment peux-tu savoir qu'il est intelligent ?

— Je le sais, c'est tout ! répliqua Val, obstinée. Teddy et Milton vont lui apprendre des tours, comme à un chien. Je parie qu'ils en feront un cochon savant en un rien de temps !

— Tu crois que Pitchounet pourra apprendre à faire le beau, se rouler par terre et faire le mort ?

— Mais bien sûr ! affirma Val. Les porcs sont aussi intelligents que les chiens... peut-être même plus ! Et si Pitchounet devient capable d'exécuter quelques tours, on devra le considérer comme un cochon à part, que la *Réserve* ne sera que trop heureuse d'accueillir. »

Jill ne voulut pas contrarier son amie, mais elle pensait que la pauvre Val se berçait d'illusions.

« Très bien ! dit-elle tout haut. Assez parlé de Pitchounet, la merveille des merveilles ! Passons plutôt à ton petit cousin. Est-ce que Teddy et lui ont fini par s'entendre ?

— Eh bien... commença Val en hésitant. Oui et non. Ou peut-être ferais-je mieux de te répondre : non et oui.

— Que veux-tu dire ?

— Que je ne suis sûre de rien. Ces deux derniers jours ont été désastreux. Milton est aussi différent de Teddy qu'il est possible de l'être. Il ressemble davantage à un robot qu'à un petit garçon. Il a des manières parfaites, ne s'intéresse à aucun sport, lit tout le temps et est allergique à un tas d'aliments. Et puis... eh bien, c'est un enfant unique. A mon avis, ça explique tout ! »

Jill lança un regard noir à son amie.

« Grand merci, Val, je suis enfant unique moi aussi, souviens-t'en ! Est-ce que j'ai l'air d'un robot ? »

Val se mit à rire :

« Quelquefois seulement ! répondit-elle... Allons, ne te fâche pas. Je plaisante ! Mais Milton est un enfant unique élevé dans une grande ville. Ça fait toute la différence. Il habite un grand immeuble, il n'a pas la liberté de courir au grand air et de jouer comme un enfant normal. Il doit attendre l'ascenseur chaque fois qu'il sort et doit être accompagné partout où il va. Mais le plus drôle c'est qu'il aime ça ! Il a la nostalgie de son chez lui. Hier soir, il me l'a avoué en sanglotant. Son père et sa mère lui manquent. Sais-tu qu'il regrette même le portier de leur immeuble ?

— Cela paraît bizarre, sûr ! admit Jill. C'est donc un désastre ?

— Oui et non, répéta Val. Hier soir, il semblait que la seule solution était d'expédier Milton chez lui par le prochain train. Et puis, soudain, j'ai eu l'idée de demander à Milton et à Teddy de prendre soin de Pitchounet en mon absence. Milton a pris Pitchounet en amitié la première fois qu'il l'a vu et il sait que les porcs sont intelligents. Il a parié qu'il pourrait enseigner plusieurs tours à mon protégé. Teddy a parié le contraire. Bref, ce matin, les deux garçons ont de quoi s'occuper. Mais comme je n'ai pas eu de nouvelles de toute la journée, je suis un peu inquiète. J'espère que tout se sera bien passé.

— Mme Racer est avec eux, n'est-ce pas? demanda Jill. Oui? Alors, tout va bien. Ecoute! Faisons un saut chez toi et voyons par nous-mêmes ce qu'il en est.»

Val se leva d'un bond.

«Tu as raison, Jill. Filons vite!»

Un instant plus tard, les deux filles pédalaient avec entrain sur la route. La température était douce et le soleil brillait. Des forsythias fleurissaient dans les jardins. La plupart des villas devant lesquelles elles passaient étaient égayées par des jacinthes et des tulipes multicolores. Comment Milton pouvait-il ne pas se plaire dans un tel décor! Pour sa part, Val aurait détesté vivre ailleurs.

Comme les deux amies tournaient dans l'allée conduisant à la maison du docteur,

Val sursauta. Elle apercevait Milton, courant à toute allure, poursuivi par Teddy. Elle freina vivement, juste au moment où Teddy rattrapait Milton et, lui donnant une bourrade, le faisait tomber par terre. Les lunettes de Milton s'envolèrent pour atterrir dans l'herbe, à quelques pas de là.

« Je t'ai eu ! cria Teddy à pleine voix.

— Teddy ! cria Val encore plus fort. Laisse ton cousin tranquille ! » Elle sauta de son vélo et courut aux deux garçons. « Milton, tu n'as rien, dis-moi ? »

Elle s'attendait à trouver le petit citadin en larmes. Au contraire, il leva vers elle un visage radieux.

« Tout va bien, Vallie. Teddy m'apprend comment plaquer un adversaire au rugby. Jamais je n'avais couru aussi vite. »

Il se releva tout joyeux. Ses cheveux étaient en désordre et sa chemise maculée de boue.

Un accroc déparait ses blue jeans, d'ordinaire impeccables. Jocko et Sunshine lui sautèrent dessus pour le débarbouiller à coups de langue.

« Hé, du calme, les chiens ! cria Milton. Allez, Teddy ! On recommence. Mais à présent, c'est à toi d'être poursuivi. Prends le ballon ! »

Il passa le ballon à son cousin qui le fourra sous son bras.

« Entendu, Milt! Chiche que tu ne pourras pas m'attraper! »

Les chiens, aboyant follement, se précipitèrent vers Jill et Val. Milton se tourna vers la première, l'air interrogateur.

« Voici ma meilleure amie, déclara Val. Jill Dearborne. Jill! je te présente notre cousin Milton.

— Bonjour, Milton, dit Jill.

— Appelez-moi Milt! répondit le gamin. Milt le Guindé, comme m'a surnommé Teddy. Il paraît que l'on donne souvent des surnoms aux grands sportifs. Je ne suis pas très sportif, mais je le deviendrai peut-être un jour. »

Val ramassa les lunettes du petit garçon et les lui tendit.

« Merci, Vallie! fit-il en les remettant avec soin sur son nez. Vous savez, Jill, Vallie m'a raconté qu'elle et vous étiez comme deux sœurs! »

Teddy se mit à ricaner.

« Ça me fait beaucoup de sœurs! J'en ai tant que je ne sais plus qu'en faire!

— Et j'ai tellement de frères que je ne sais plus qu'en faire non plus! rétorqua Val en riant et en envoyant une bourrade dans les côtes du garnement.

— Mais tu n'as qu'un seul frère, moi! protesta Teddy.

— Je sais! Mais c'est plus que je n'en

peux supporter!» expliqua Val en se tordant de rire.

Milton s'aperçut soudain que ses jeans étaient déchirés.

« Oh! J'ai fait un accroc à mon pantalon!» s'exclama-t-il. Son visage prit une expression désolée puis, presque aussitôt, s'éclaira d'un sourire. « Peut-être Mme Racer pourra-t-elle réparer ça, hein, Teddy?

— Tu peux y compter! répondit son cousin. Allez, viens, Milt! C'est l'heure de donner à manger aux lapins, à mes poulets et au stupide canard de Vallie.

— Archie n'est pas stupide! protesta Val. Et où est Pitchounet? Je croyais que vous deux deviez lui enseigner un tas de tours!

— Nous avons commencé! affirma Milton. Nous sommes en train de lui apprendre à donner la patte. Ça y est presque, pas vrai, Teddy?

— Presque! répéta Teddy. Nous lui apprenons à tendre une patte de devant chaque fois qu'on prononce le mot " patte " en lui offrant un des biscuits de Mme Racer.

— En parlant d'un porc, rectifia Val, on ne dit pas " patte " mais " pied ".

— Peu importe! jeta Teddy avec désinvolture. Nous lui disons " patte ", et il croit avoir des pattes. C'est comme ça que nous avons appris à Jocko.

— Allons donner à manger aux animaux! lança Milton. Au revoir, Jill! Au revoir, Vallie!

— Hé! attrape ça!» cria Teddy en lançant le ballon de rugby à son cousin.

Celui-ci le reçut assez adroitement, ce qui lui valut les encouragements de Teddy.

« Bravo, mon vieux! Tu fais des progrès!

— Je m'y efforce!» répondit Milton en courant vers la remise qui abritait les lapins, les poulets et le canard.

Jill suivit des yeux les deux garçons.

« J'ai du mal à croire ce que tu me racontais tout à l'heure, dit-elle à Val. Milton me semble parfaitement normal.

— Oui, répliqua Val, radieuse. Il semble en tout cas l'être devenu!»

Les deux cousins disparurent dans la remise.

« Et maintenant, proposa Val, allons voir si Mme Racer et Pitchounet s'entendent bien.

— Je me demande, murmura Jill d'un air pensif, comment votre gouvernante s'accommode d'un petit cochon courant à travers toute la maison. »

8

Val et Jill entrèrent dans la maison par la porte de derrière, qui ouvrait directement dans la cuisine.

« Bonjour, madame Racer ! Ça sent rudement bon ! Qu'est-ce que c'est ?

— Bonjour, Jill ! Bonjour, Vallie ! Je suis en train de faire des petits gâteaux aux raisins ! »

Elle se pencha sur le four pour y glisser une plaque couverte de tas de pâte.

« Il y en a déjà une pile toute chaude dans le grand plat, sur la table. Servez-vous ! Si vous attendez, le porcelet va tout manger ! »

Les deux amies prirent chacune un gâteau.

« Je crois en effet, dit Val, que Pitchounet raffole de vos pâtisseries !

— Sûr ! Je n'ai jamais vu de petit cochon

être sevré si vite. J'ai répété mille fois à Teddy et à Milton de ne pas le bourrer de nourriture, mais chaque fois que j'ai le dos tourné, quelques-uns de mes gâteaux disparaissent et le groin du porcelet est plein de miettes.

— Où est-il, en ce moment? demanda Val. Jill voudrait faire sa connaissance.

— Vous le trouverez sans doute sous la table de la salle à manger. Teddy et Milton l'ont fourré là avant de sortir. Si vous voulez mon avis, ce n'est pas naturel d'introduire un cochon dans une maison. Non pas que Pitchounet ne soit pas propre, remarquez! Au contraire! Et il est très mignon. Tout de même, c'est un cochon, et les cochons doivent vivre dans une ferme.

— Je sais, admit Val. Mais je craignais qu'il se sente seul et un peu perdu si je le laissais à l'*Arche de Noé.* »

Entraînant Jill, elle passa dans la salle à manger, s'agenouilla devant la table et regarda dessous. Pitchounet était bien là, profondément endormi. Son ventre était de toute évidence beaucoup plus rebondi qu'au début de la matinée.

Val le chatouilla là où elle supposait que se trouvaient ses côtes, car celles-ci demeuraient invisibles.

« Réveille-toi, Pitchounet. Tu as une visite! Dis bonjour à Jill! »

Le porcelet frissonna et ouvrit les yeux en laissant échapper un petit grognement. Jill se mit à rire.

« Comme c'est drôle ! Quand il dormait, sa queue était toute raide. Mais, à l'instant où tu l'as réveillé, elle s'est remise en tire-bouchon. Quel amusant petit cochon ! »

Avec précaution, Val saisit Pitchounet et le sortit de sous la table.

« Viens donc, Pitchounet. Montre-nous ce que tu sais faire !

— Encore autre chose ! lança Mme Racer en passant la tête par l'entrebâillement de la porte. Il n'est pas normal non plus d'apprendre à un cochon à faire des tours comme les animaux de cirque. Mais essayez de faire comprendre ça à Teddy et à Milton ! Pas étonnant que la pauvre bête soit exténuée. Ils l'ont tourmenté pendant des heures pour lui enseigner à tendre la patte. Et chaque fois qu'il la donnait, ces garnements lui offraient un gâteau. Il aurait une indigestion que ça ne m'étonnerait pas !

— Est-ce que je ne pourrais pas lui donner encore juste un bout de gâteau ? pria Val. Un seul petit morceau, rien de plus.

— Oh ! Au point où il en est, ce n'est pas un gâteau de plus qui aggravera les choses ! » soupira la gouvernante.

Jill s'était déjà précipitée à la cuisine et en

revenait avec une friandise qu'elle tendit à Val.

« Tu sais, Val, s'exclama-t-elle, j'adore venir chez toi. Il y a toujours quelque chose d'intéressant à voir. »

Val fit asseoir Pitchounet sur son arrière-train et promena le gâteau à portée de son petit groin rose.

« La patte, Pitchounet ! Et tu auras ton gâteau ! »

Le porcelet allongea le cou vers la friandise, mais Val recula la main.

« Pas avant d'avoir donné la patte ! dit-elle. La patte, Pitchounet, la patte ! »

Cette fois, son protégé gigota, souffla, grogna et, pour finir, se roula sur le dos.

« Non, non ! » soupira Val. Et, l'asseyant de nouveau, elle répéta : « La patte ! La patte ! »

Pitchounet regarda Val, le gâteau, puis leva lentement sa patte droite.

Val s'en empara et la secoua avec enthousiasme.

« Bravo ! s'écria-t-elle. Quel petit cochon intelligent ! »

Elle abandonna le gâteau à Pitchounet qui n'en fit qu'une bouchée, Jill semblait impressionnée.

« C'est vrai qu'il est intelligent ! reconnut-elle. C'est le plus intelligent de tous les cochons que je connais... Quoique, à la vérité, ajouta-t-elle avec franchise, c'est le premier que je vois d'aussi près!

— Malgré tout, insista Mme Racer, il n'est pas normal qu'un cochon fasse des tours, comme un chien.

— Peut-être, admit Val, mais il est exact qu'on peut leur en apprendre. La preuve! Teddy et Milton ont appris à Pitchounet à donner la patte en moins d'une journée.

— Et à quoi cela lui servira-t-il, je vous le demande! grommela Mme Racer. Admettons qu'il apprenne un tas de tours, à quoi cela le mènera-t-il? A se produire dans les cirques, comme ces pauvres animaux que vous avez sauvés jadis, ton père et toi, Val? Je veux parler de ce malheureux petit singe et de l'infortuné Leo, le lionceau.

— Val pense que la *Réserve* pourra adopter Pitchounet!» déclara Jill.

Mme Racer disparut dans sa cuisine pour retirer ses gâteaux du four. Les deux amies l'y suivirent.

Val, portant Pitchounet dans ses bras, expliqua :

«Je suis sûre qu'il sera vite populaire là-bas. Les petits visiteurs raffoleraient de lui!

— Les cochons ont leur place dans les fermes, insista Mme Racer, au milieu de leurs semblables.

— Mais, madame Racer, rappela Val, si je le renvoie à la ferme, il finira en boudin et en saucisses. Je ne veux pas d'une pareille fin pour mon Pitchounet. »

Mme Racer enfourna, cette fois, un plein plat de pommes de terre. Elle grommela quelques mots que Val ne put saisir.

« Que dites-vous, madame Racer ?

— Qu'un cochon ne finirait pas ainsi dans *ma* ferme. »

Pitchounet gigotait pour qu'on le lâchât. Val le déposa à terre.

« Votre ferme ? répéta-t-elle, stupéfaite.

— Parfaitement. » Mme Racer tapota son tablier immaculé, puis ajouta : « Je pourrais prendre ce petit cochon et lui permettre de vivre une vie normale. J'en possède déjà quelques-uns, ainsi que des poules et quelques vaches. Mon fils Henry élève de la volaille et en fait commerce. Il ne voudrait pas d'un porc. Mais moi, je peux prendre Pitchounet. Peu m'importe qu'il sache ou non faire des tours. Je ne le sacrifierai jamais, Vallie. Je sais trop ce que tu penses à ce sujet. Je prendrai au contraire grand soin de lui. »

Val courut à la brave femme et lui sauta au cou.

« Bien vrai ? Vous accepteriez de recueillir Pitchounet ?

— Vrai de vrai, répondit Mme Racer en lui rendant son baiser. Ces tours que Teddy et Milton enseignent à ton protégé ne lui font en fin de compte ni bien ni mal ; à mon avis, ce sont plutôt les deux garçons qui apprennent quelque chose ! Milton s'est merveilleusement défoulé et Teddy a pris du bon temps aussi. Veux-tu que je te dise ? D'ici à ce que Milton reparte pour

New York, lui et Teddy seront devenus une paire d'amis et ce petit cochon y sera pour beaucoup ! » De la main, elle écarta affectueusement une mèche qui balayait la joue de Val. « Je pense donc qu'il mérite d'avoir un foyer où personne ne lui fera de mal et où il ne sera pas obligé de faire des tours comme un chien savant. Dès que Milton sera parti, mon fils Henry prendra Pitchounet dans sa camionnette, un soir, en venant me chercher. »

Elle donna une tape amicale à Val et, hochant la tête :

« Bien sûr, il va me croire un peu fêlée pour adopter un cochon qui ne sera même pas promis au saloir ! Mais je saurai le convaincre. C'est un bon garçon, mon fils !

— Oh, merci, merci, madame Racer ! s'écria Val, tout heureuse. Je n'aurais jamais espéré mieux pour Pitchounet ! N'est-ce pas merveilleux, Jill ?

— Je pense bien ! » répondit Jill. Et, se tournant vers Mme Racer : « Est-ce que vous continuerez à lui faire de bons gâteaux ? demanda-t-elle avec malice.

— Certainement pas ! s'écria Mme Racer en fronçant les sourcils. D'abord, ce n'est pas pour lui que je pâtisse. Ensuite, quand il sera chez moi, il vivra comme un porc ordinaire et mangera ce que mangent les autres cochons. Et il aimera ça, vous verrez. Comme je le dis toujours, les cochons sont des cochons. Ils mangent ce qu'on leur offre. »

Elle abaissa son regard sur Pitchounet qui, assis devant elle, soufflait et grognait tout en agitant sa patte de devant, plein d'espoir. La gouvernante ne put s'empêcher de rire.

« Eh bien ! Ne dirait-on pas un petit mendiant ? Tu veux un autre gâteau, je parie ? »

Elle en prit un sur le plateau et l'offrit au porcelet qui l'avala en un clin d'œil.

« Ma parole ! soupira-t-elle. Ce cochon est aussi gourmand qu'un chien. S'il a une indigestion, ce sera sa faute. » Mais, rencontrant le regard amusé de Val : « Enfin... presque sa faute. Ce petit gars-là est trop malin pour son propre bien ! »

La porte de la cuisine s'ouvrit brusquement, livrant passage à Teddy et Milton, suivis de Jocko et Sunshine.

« Vous savez, madame Racer ! s'écria Milton en se précipitant, tout essoufflé. Teddy m'a permis de donner à manger aux lapins. Et j'en ai même tenu un dans mes bras. Pas vrai, Teddy ?

— Pour sûr ! fit celui-ci en attrapant un gâteau et en se le fourrant vivement dans la bouche.

— Oui, et il paraît que ce lapin-là a pour habitude de se débattre et de vous égratigner quand on le prend. Eh bien, il ne m'a pas fait mal ! Et puis... je crois que les lapins aiment les carottes. Est-ce qu'il y en a dans le réfrigérateur ?

— Des tas ! répondit Val. Tu peux en prendre quelques-unes et les offrir à tes amis lapins. »

Milton parut hésiter, puis demanda poliment :

« Puis-je avoir quelques carottes, madame Racer ? »

La gouvernante ouvrit le réfrigérateur.

« Prends-en autant que tu voudras, mon garçon. Mais à présent, mes enfants, vous seriez bien gentils de déguerpir. Comment voulez-vous que je prépare le dîner si vous envahissez ma cuisine ? Teddy Taylor ! Arrête de dévorer ces gâteaux ! Vallie, emporte-moi ce petit cochon. Jill ! Cleveland demande à sortir... CLEVELAND ! » Elle se précipita vers le gros chat jaune qui venait de sauter sur la table et commençait à renifler avec délice les petits gâteaux tout chauds. « Si ça continue, il ne restera rien pour le docteur quand il rentrera : les enfants, les cochons et les chats auront tout mangé ! »

Jill attrapa Cleveland et sortit par la porte de derrière. Val fourra Pitchounet sous son bras et l'emporta dans la salle à manger. Teddy sortit une laitue du réfrigérateur et courut après Milton en criant :

« Hep ! Milt le Guindé ! Attends-moi ! »

Jill rejoignit bientôt Val dans la salle à manger. Pitchounet, étendu sur le tapis, poussait des grognements de satisfaction tandis que Val lui frottait le ventre.

« Tu es un veinard de petit cochon, Pitchounet, dit Jill en le grattant derrière les oreilles.

— Certes oui! Et il nous a porté chance aussi, fit Val. Sans lui, Milton serait resté emprunté et Teddy malheureux.

— Et toi, tu l'as empêché de finir en saucisses.

— C'est vrai», admit Val en souriant au petit cochon. Et, en vérité, Pitchounet lui sourit en retour.

Avant la fin du séjour de Milton, les garçons apprirent trois tours à Pitchounet. Maintenant, outre donner la patte, le porcelet savait faire le mort et se rouler sur le dos. Fidèle à sa promesse, le docteur emmena tout le monde déguster des glaces chez *Curran*. Val fut stupéfaite de voir que Milton engouffrait allégrement glace à la framboise, glace à la fraise et sorbet au cassis.

Vint enfin le moment où Val, Teddy, leur père et Mme Racer accompagnèrent Milton à la gare. Attendant le train qui devait l'emporter, Milton ressemblait alors à ce qu'il était en arrivant; un petit garçon impeccable dans son blazer bleu marine, avec un pantalon au pli bien net et une cravate convenablement nouée. Mais, intérieurement, il avait bien changé.

«Attendez un peu que je raconte à mes amis que mes cousins élèvent un porc dans leur maison et lui enseignent un tas de tours! Et aussi que j'ai appris à jouer au rugby et à nourrir poules et lapins! Et également...

— Dis donc, mon garçon, coupa le docteur. Peut-être ferais-tu mieux de ne pas parler du cochon. Je pense que tes parents n'apprécieraient pas beaucoup.

— Oh, oncle Ted, je les ai déjà mis au

courant par téléphone. Maman a trouvé l'idée originale mais a voulu savoir si Pitchounet ne se sentait pas trop perdu loin des siens. Je lui ai tout expliqué...» Il se tourna vers Teddy : «Tu sais, j'ai hâte de revenir ici l'été prochain. Cette fois, j'apporterai ma bombe pour pouvoir monter Fantôme Noir.

— Et moi, quand j'irai te voir, répliqua Teddy, tu me conduiras au zoo, et nous jouerons aux échecs, et...

— Et je demanderai à papa de nous emmener voir un match de base-ball. Je parie que ça te fera plaisir.

— Je pense bien!

— En attendant, je vais me procurer des livres concernant les sports. Quand je serai bien documenté, ça me sera plus facile de les pratiquer!

— Ça, c'est une chouette idée!» approuva Teddy.

Val se rapprocha du bord du quai et tendit l'oreille.

«Ah! s'exclama-t-elle. J'entends le train.

— Eh bien, Milton! Je crois qu'il est temps que tu nous dises adieu! suggéra le docteur. Nous avons été très heureux de t'avoir parmi nous, tu sais. Viens vite embrasser ton oncle!»

Milton lui sauta au cou.

«Merci pour tout, oncle Ted, s'écria-t-il. Vous savez ce que je vais dire à papa, en rentrant? Je lui demanderai de se laisser pousser la barbe, comme vous. Je trouve que ça fait très distingué.

— Très distingué, hein? répéta le docteur en se retenant de rire. Merci beaucoup, Milton. C'est la première fois que quelqu'un me fait un pareil compliment.»

A présent, le train était en vue et se rapprochait rapidement.

«Au revoir, Vallie, dit Milton en tendant vers elle une main très protocolaire. J'aime beaucoup tous tes animaux. Je suis sûr que tu deviendras un vétérinaire épatant quand tu seras grande, exactement comme oncle Ted.

— J'essaierai, en tout cas», déclara Val. Et, ignorant délibérément la main tendue : «Si ça ne t'ennuie pas, je vais te faire la bise pour te dire adieu. Teddy me permet de l'embrasser quelquefois, bien qu'il trouve ça inutile.

— D'accord pour la bise», lança le gamin.

Val le serra affectueusement contre elle et fit claquer un baiser sur sa joue.

«Tu vas me manquer, Milt le Guindé!» dit-elle en riant.

Avant que Milton n'ait eu le temps de tendre la main à Mme Racer, la brave femme se pencha vers lui et l'embrassa à son tour.

«Tu es un gentil garçon, Milton, lui confia-t-elle. Fais bon voyage! Ne parle pas à des inconnus et demande au contrôleur de te prévenir un peu avant que tu arrives à destination.» Elle lui tendit une grosse poche rebondie. «Tiens, prends ça! J'ai entendu dire que la nourriture était mauvaise dans les trains. Alors, je t'ai préparé de quoi te restaurer en route. Il y a là-dedans des biscottes beurrées, deux sandwiches au poulet, un œuf dur, une pomme, une orange et plusieurs de ces petits gâteaux que tu aimes. J'ai même ajouté des serviettes en papier pour que tu ne taches pas tes vêtements.

— Merci beaucoup, madame Racer! Si je mange tout ça, je vais devenir aussi grassouillet que Pitchounet. Vous savez, je suis très content que vous l'adoptiez. Je suis certain qu'il sera très heureux chez vous.

— Tu sais, Milt! déclara Teddy. La première fois que je t'ai vu, j'ai pensé que tu étais un incurable mollasson. Mais je me trompais. Tu es mille fois moins tartemuche qu'avant!

— Teddy!» s'écrièrent à la fois Val et son père.

Mais déjà Milton répliquait gaiement :

«C'est vrai! j'étais un mollasson. Mais je me suis corrigé. Salut, Teddy! A bientôt!»

Les deux gamins se serrèrent solennellement la main tandis que le train entrait en gare. Le docteur ramassa les bagages de son neveu.

« Allons, viens, Milton. Suis-moi ! »

Milton courut derrière lui, grimpa dans un wagon, puis se retourna et, de la main, adressa un dernier adieu à Val, Teddy et

la gouvernante. Presque aussitôt, le docteur sauta sur le quai et le train démarra.

« Où est-il ? Je ne le vois plus ! s'écria Teddy en regardant à travers les vitres.

— Le voici ! » s'exclama Val.

Milton pressait son nez contre la vitre d'un compartiment. Sa main s'agita une fois encore.

« Au revoir, Milt ! » hurla Teddy en sautant sur place et en agitant les bras si fort que Val craignit qu'il ne se les démît. Puis il poussa un gros soupir et ses épaules s'affaissèrent un peu.

« Il te manque déjà, pas vrai ? dit Val.

— Ben... un peu. J'commençais à m'habituer à lui.

— Peut-être que si tu grignotais quelque chose, ça te remonterait ? proposa Mme Racer.

— Quoi, par exemple ? demanda-t-il, les yeux brillants.

— Eh bien, j'ai apporté quelques gâteaux supplémentaires, au cas où... » expliqua la gouvernante en tendant à Teddy une autre grosse poche.

Tout content, il s'en empara en s'exclamant :

« Chouette ! J'avais peur que vous n'ayez tout donné à Milt. Dis, papa, on ne pourrait pas aller boire un verre de lait ? ça aiderait à passer le temps en attendant le train d'Erin.

— Je crois que ça peut se faire », opina le docteur en souriant.

Un instant plus tard, le petit groupe était attablé au buffet de la gare.

« Ne mange pas tous les gâteaux, recommanda Val à son frère. Gardes-en un pour Erin. Elle a été privée des friandises de Mme Racer pendant dix jours. » Puis, après avoir consulté sa montre : « Dix heures trente. Le train d'Erin arrive à cinquante-six. »

Soudain, elle fut prise d'une envie folle de revoir sa sœur. A cause de Milton et de Pitchounet, Erin ne lui avait pas manqué autant que prévu. Mais, à présent, Val était impatiente de la revoir. Chaque fois qu'elle avait eu sa sœur au bout du fil, Erin n'avait cessé de bavarder gaiement. Et elle avait envoyé une carte postale chaque jour, comme promis. En général, ces cartes représentaient une scène de ballet avec, au dos, quelques mots comme «*Suis allée applaudir les Ballets de New York au Centre Lincoln avec tante Peggy et oncle John. Fantastique!*» ou encore «*Vu les Ballets Joffrey cet après-midi. Merveilleux!*» et aussi «*J'adore Manhattan. Des fenêtres de l'appartement, on a vue sur Central Park!*»

Mme Racer avait punaisé toutes ces cartes sur la porte de la penderie. C'était très joli à voir. Et maintenant, Erin revenait. Aurait-elle changé? se demanda Val. Changé d'apparence? De comportement?... Milton, lui, avait tellement changé au cours de ces brèves vacances! Qu'arriverait-il si l'Erin qui descendrait du train n'était pas la même que celle qui y était montée dix jours plus tôt?

«Je suis stupide, se dit Val pour se rassurer. Erin est Erin.» Elle se rappelait ce que Mme Racer avait dit à propos de Pitchounet : «Les cochons sont des cochons.»

N'empêche qu'elle se sentait la gorge nouée.

« Tu veux finir mon gâteau? proposa-t-elle à son frère. Je n'ai plus faim. »

Le gamin accepta avec enthousiasme. Cependant, le docteur, à son tour, consultait sa montre.

« Ramassez vos gobelets de carton et vos serviettes en papier, mes enfants. Nous les jetterons au passage à la poubelle. Le train d'Erin va arriver d'une minute à l'autre.

— Ça me fera rudement plaisir de revoir cette vieille Erin, déclara Teddy. Elle est partie depuis si longtemps que j'ai oublié à quoi elle ressemble. »

Mme Racer ne prit pas ça pour une boutade et fronça les sourcils.

« Ta propre sœur! Teddy, j'ai honte pour toi! Erin nous reviendra exactement comme elle est partie... un petit ange blond. Je crains seulement qu'elle n'ait maigri! Ces gens de New York ne savent pas se nourrir comme il faut. Voyez un peu Milton. Il était maigre comme un clou en débarquant ici. Mais nous lui avons fait prendre du poids. Un autre gâteau, Teddy?

— Non, merci.

— Parfait! Un bon repas nous attend à la maison : du rosbif et d'excellents légumes tout droit venus de la ferme. On n'en trouve pas de semblables à New York. Les gens des grandes villes ignorent ce qui est bon!

— Vous avez raison, madame Racer! dit le docteur en la prenant par le bras pour précipiter le mouvement. Mais venez vite! Il nous faut tous être sur le quai quand Erin arrivera, afin que nous la repérions du premier coup.»

Il adressa un clin d'œil à Val qui lui sourit.

Teddy dégringola quatre à quatre les marches conduisant au quai.

«Attendez un peu qu'Erin fasse connaissance de Pitchounet! s'écria-t-il. Elle n'en croira pas ses yeux quand elle verra tous les tours qu'il sait faire!»

9

« Madame Racer ! C'est le plus succulent repas que j'ai fait depuis mon départ pour New York », déclara Erin quelques heures plus tard.

Les Taylor, assis autour de la grande table, achevaient de déjeuner. Mme Racer avait veillé à ce que chacun fût bien servi et ne manquât de rien. Val, bien entendu, n'avait pas mangé de rosbif, mais avait fait honneur aux légumes ainsi qu'au dessert préparé pour fêter le retour d'Erin : un magnifique gâteau au chocolat accompagné d'une glace aux noix caramélisée.

« J'espère bien ! répondit Mme Racer. Une bonne cuisine familiale, voilà ce dont tu as besoin, Erin. Ça ramènera un peu de rose à tes joues.

— Erin ne me semble pas en train de dépérir, fit remarquer le docteur en souriant. En fait, elle est même resplendissante. »

C'était vrai. Néanmoins, Val se dit que sa sœur semblait plus âgée, plus sophistiquée. Peut-être cette impression venait-elle de ce que Val n'avait pas vu sa cadette pendant dix jours. Mais les traits délicats d'Erin semblaient plus fins, ses yeux plus grands et ses cheveux blonds plus pâles. Elle ressemblait en tous points à sa mère, telle que la représentaient les photographies : une vraie princesse de contes de fées.

Par comparaison, Val se sentait lourde, massive et gauche. Elle avait conscience que ses cheveux tombaient sans ordre sur ses oreilles, en dépit de ses efforts pour les rejeter en arrière.

« A New York, reprit Erin, nous avions une nourriture qui sortait de l'ordinaire. Tante Peggy et oncle John m'ont emmenée dans des restaurants de luxe où les serveurs vous traitent comme si un sang royal coulait dans vos veines. A l'Adagio Cafe, au Centre Lincoln, j'ai vu un buffet fabuleux où l'on pouvait choisir parmi quantité de plats. Les chefs portaient des tabliers blancs et de hautes toques. Certains aliments m'ont paru étranges. C'était la première fois que j'en goûtais... com-

me par exemple des clams et des huîtres.
— Bouh! fit Teddy.
— Ça n'était pas mauvais du tout, tu sais, expliqua Erin. Ces crustacés sont encore vivants quand on les mange et ils frémissent et se contractent quand on presse du citron dessus.
— Quelle horreur! s'écria Val en frissonnant. Et tu as pu manger quelque chose de vivant?
— Au fond, avoua Erin, ça ne m'a pas tellement plu. Dans les restaurants japonais, on vous sert du poisson cru. Ça n'a pas vraiment le goût de poisson. Si un de ces restaurants ouvrait à Essex, il ferait sensation.»

Mme Racer hocha la tête.

«Ce n'est pas normal de manger du poisson cru, déclara-t-elle.
— Ça ne vaut certes pas votre rosbif! s'écria Erin. Oh! comme c'est agréable de se retrouver chez soi!
— Tu le penses vraiment? demanda Val.
— Bien sûr!... Qu'est-ce que tu as, Vallie? Tu n'arrêtes pas de me regarder. On dirait que tu ne m'as jamais vue!
— Oh, je suppose que c'est parce que tu as été absente et que c'est la première fois que ça t'arrivait. Je n'avais jamais remarqué jusqu'ici à quel point tu ressemblais à maman.

— Eh bien, qu'y a-t-il d'étrange à cela? Je ressemble à maman, tu ressembles à papa, et Teddy... ma foi, il ressemble à tous les deux! Dis donc, Teddy! Tu ne fais guère de bruit dans ton coin. N'es-tu pas content que je sois de retour?

— Si, je suis content, admit le gamin. Mais tu ne t'es pas beaucoup intéressé aux tours que nous avons enseignés à Pitchounet, Milton et moi!

— Oh! Pitchounet! fit Erin en riant. Tante Peggy et oncle John n'arrivaient pas à croire qu'un porc vivait à la maison... Vous savez, à New York, ces choses ne se font pas. J'ai expliqué que, dans une petite ville, la vie était très différente et que, quand le maître de maison était vétérinaire, il fallait s'attendre à rencontrer des animaux un peu partout. Oncle John trouve ça farfelu.

— Qu'est-ce que ça veut dire, farfelu? demanda Teddy.

— Oh, bizarre, curieux, un peu dingue, je suppose.

— Est-ce ainsi que nous te paraissons... bizarres, curieux et... un peu dingues? s'enquit Val.

— Peut-être... un peu, avoua Erin. Tout semble si différent et comme... rapetissé, quand on vient de New York. Il faut quelque temps pour se réhabituer.

— Je le pense aussi », déclara le docteur.
Val se leva brusquement.
« Si vous avez fini... commença-t-elle. Viens, Erin ! Aide-moi à débarrasser la table. Te rappelles-tu comment on dispose les plats dans le lave-vaisselle ?
— Voyons, Vallie ! protesta Mme Racer. Laisse donc ta sœur souffler un peu. La pauvre petite débarque à peine du train. Teddy va m'aider à desservir, n'est-ce pas, Teddy ?
— Mais je ne suis pas fatiguée du tout, affirma Erin. Dès que la vaisselle sera rangée, je distribuerai les cadeaux que j'ai rapportés. C'est un tel plaisir de faire des achats à New York ! Si tu voyais les vitrines, Vallie ! Tu n'en croirais pas tes yeux ! Quand je retournerai là-bas cet été, il faudra que tu viennes avec moi. Tante Peggy souhaite que Teddy vienne rendre visite à Milton et que nous l'accompagnions. Tu verras comme ce sera chouette !
— Dis donc, Erin, grommela Teddy en suivant ses sœurs à la cuisine avec la vaisselle du dessert. Tu viens à peine d'arriver et tu parles déjà de repartir.
— On dirait que tu as le mal du pays... de New York, ajouta Val d'une voix triste.
— Ne sois pas sotte ! Comment peut-on avoir le mal d'un pays où ne se trouve pas votre foyer ! C'est vrai que plus tard si je

deviens une danseuse célèbre, j'irai habiter New York.

— Maman était assez célèbre et elle n'habitait pas New York, lui rappela Val.

Elle a toujours vécu en Pennsylvanie et elle y a épousé papa.

— Une bonne chose, qu'elle a faite là! opina Mme Racer. Sinon, mes petits, où seriez-vous tous les trois, je vous le demande!

— Alors, Erin! coupa Teddy. Ces cadeaux! Tu nous les donnes?

— Oui, bien sûr. Tout de suite. Suivez-moi!»

Erin retourna en courant à la salle à manger où elle avait déposé, dans un coin, un grand sac de voyage.

«Approchez-vous tous!» appela-t-elle. Et elle se mit à distribuer ses cadeaux... Il y avait un coupe-papier en cuivre ayant la forme d'un chien pour le docteur; un livre sur le base-ball pour Teddy, un foulard de soie mauve pour Mme Racer et une broche d'argent représentant un fer à cheval pour Val.

«Je me suis fait un cadeau à moi-même, avoua Erin en déroulant un poster à la gloire du Ballet de New York. Je vais l'accrocher en face de mon lit : ce sera la première chose que je verrai en m'endormant et en me réveillant.»

Quand chacun eut remercié Erin, le docteur monta sa valise dans sa chambre, Teddy sortit pour jouer avec ses amis et Mme Racer retourna à sa cuisine où Pitchounet dormait sous la table. N'ayant rien d'autre à faire, Val monta rejoindre sa sœur et s'assit au bord de son lit. Pissenlit, le canari, chantait à tue-tête, à la grande joie de sa petite maîtresse.

«Il n'a pas beaucoup chanté en ton absence, dit Val. Je crois que tu lui manquais.

— J'en suis bien heureuse. J'avais peur qu'il ne m'ait oubliée... Quand j'aurai fini de ranger mes affaires, je téléphonerai à Olivia pour lui demander de venir. J'ai aussi un cadeau pour elle et tant de choses à lui raconter! Et puis je lui montrerai certains pas que j'ai appris à l'école de danse où j'ai suivi des cours. Nous pourrons nous exercer ensemble.

— Oh! soupira Val. Je pensais que tu aurais aimé m'accompagner à l'*Arche de Noé*. Nous aurions pu monter Fantôme! Olivia nous aurait rejointes, bien entendu.

— Merci, Vallie, mais pas aujourd'hui. A part les quelques cours dont je viens de te parler, je ne me suis pas exercée du tout. Mes jambes sont raides comme des piquets. En attendant Olivia, je vais descendre au sous-sol et m'échauffer un peu. Mais dis bonjour à Fantôme de ma part!

— Entendu!» fit Val en se dirigeant vers la porte. Arrivée sur le seuil, elle se retourna. «Erin...

— Quoi donc?

— Es-tu vraiment contente d'être revenue?

— Mais bien sûr! répliqua Erin en chaussant ses ballerines. Tu ne me crois pas?

— Si, je te crois!» répondit Val. Pourtant, en quittant la chambre de sa sœur, un léger doute lui pinçait le cœur.

Une demi-heure plus tard, après avoir laissé sa bicyclette dehors, Val se dirigeait vers l'écurie quand Mike Strickler l'arrêta au passage.

« Salut, Vallie ! Tu viens voir Fantôme ?

— Oui, Mike.

— Erin est de retour ?

— Oui. Elle s'est bien amusée à New York. »

Val décrocha la selle et la bride du cheval et s'approcha de celui-ci pour l'harnacher. Mike la suivit.

« Qu'est-ce qui ne va pas, Vallie ? Y a un truc qui te tracasse, ça s'voit !

— Eh bien... c'est Erin. J'avais peur qu'elle ne revienne changée de là-bas... et elle a changé. Je crois être la seule à m'en être aperçue.

— Changée ! que veux-tu dire ? Elle est revenue plus... citadine ?

— C'est exactement ça ! Elle nous trouve bizarres.

— Pour ça, elle n'a pas tort. Nous vivons ici d'une façon un peu différente des autres. Meilleure, à mon avis ! »

Val, ayant fini de seller Fantôme, le fit sortir de son box. Elle expliqua :

« Voyez-vous, Mike, je sens que ma sœur nous considère d'un œil différent depuis son retour. C'est comme si... elle se désolidarisait de la famille. Mais, qu'elle le veuille ou non, elle en fait partie.

— Je pense bien!» Mike tapota d'un geste paternel l'épaule de Val. «Laisse-lui le temps de reprendre goût à la vie de tous les jours, Vallie, de se réadapter. Et maintenant, va faire un tour avec Fantôme et chasse toutes ces vilaines idées de ta tête. Erin redeviendra comme avant, tu verras!»

Val monta en selle.

«Je souhaite que vous ayez raison, Mike, dit-elle en souriant au vieil homme. A tout à l'heure!»

Elle pressa doucement les flancs de sa monture et se mit en route. Une promenade à cheval était toujours pour elle une précieuse source de plaisir. Cela lui faisait du bien et balayait un peu ses soucis. Sa conversation avec Mike, aussi, lui avait remonté le moral. Et puis, quel bel après-midi de printemps! Dire qu'Erin avait préféré s'enfermer au sous-sol pour y faire ses fameux exercices! Par un temps pareil! «Enfin, conclut-elle en elle-même, tous les goûts sont dans la nature!» Et elle mit Fantôme au trot.

En tournant dans un chemin de campagne qui courait entre deux haies fleuries et odorantes, Val confia à sa monture :

«Au fond, c'est peut-être mon imagination qui travaille. Qu'en penses-tu, Fantôme?»

Et Fantôme agita les oreilles comme s'il acquiesçait.

Ce soir-là, Val fit ses adieux à Pitchounet. Henry Racer devait passer prendre le porcelet pour le conduire à la ferme de sa mère. La gouvernante expliqua :

«Il n'était pas enchanté de l'emmener dans sa voiture, mais je lui ai dit qu'il était inutile de sortir la camionnette pour un si petit cochon. " Fais comme s'il était un chien ", lui ai-je dit. Car les chiens de mon fils Henry voyagent dans sa voiture!»

Son bavardage fut interrompu par le bruit d'un klaxon.

«Le voilà. Il est temps de prendre congé, mon petit ami!» dit la brave femme en tirant doucement sur la corde attachée au cou de Pitchounet. Celui-ci ne fit aucune difficulté pour la suivre.

«Ce cochon va me manquer! déclara Teddy en voyant le porcelet grimper à l'arrière de la voiture. Milton et moi, nous nous sommes bien amusés avec lui!

— Il me manquera aussi, renchérit Val. C'était un véritable petit animal de compagnie.

— Mais Pitchounet sera beaucoup plus heureux au milieu d'autres cochons, fit remarquer le docteur. Et vous pourrez aller lui rendre visite quand vous voudrez!

— Franchement, je suis contente qu'il soit parti! avoua Erin. Oh, Vallie! Ne me regarde pas comme ça! C'est un adorable petit cochon, mais j'ai à peine eu le temps de le connaître et, même toi, tu dois admettre qu'il est plutôt bizarre d'avoir un porc courant à travers la maison. Olivia n'a pas pipé en le voyant dans la salle à manger, mais j'ai bien deviné ce qu'elle pensait. »

Le docteur s'installa dans son fauteuil préféré et ouvrit son journal.

« Eh bien, ma chérie, je peux te promettre que, si Pitchounet a été le premier cochon à vivre sous notre toit, il sera aussi le dernier. Tu pourras marcher le front haut devant tes petites amies !

— Comprends-moi... C'était un peu embarrassant, murmura Erin. Dans l'immeuble de tante Peggy et d'oncle John, il est interdit d'avoir des animaux de compagnie.
— Pas même un canari? jeta Teddy.
— Je... je ne sais pas trop! En tout cas, les cochons ne sont admis sous aucun prétexte. Quand je serai grande et que je vivrai à New York...»
Val explosa :
«Vraiment, Erin! Ne peux-tu parler d'autre chose? Depuis ton retour, tu n'as que New York à la bouche. Si l'on t'en croit, il n'y a rien de mieux. On dirait que tu n'es pas contente d'être revenue ici.
— Du calme, Vallie! dit son père en posant son journal. Laisse à ta sœur le temps de se réadapter. Il n'est pas surprenant qu'Essex lui semble un peu province après dix jours passés dans une grande cité.
— Essex n'est pas un trou! protesta Val. Et c'est là que nous habitons. Cette maison est celle d'Erin aussi bien que la tienne, la mienne et celle de Teddy.»
Erin soupira :
«Crois-tu que je ne le sache pas? Mais même si cette maison est la mienne, ça ne signifie pas qu'elle soit parfaite!
— Pour moi, elle l'est! affirma Val avec ardeur. Je ne désirerais jamais vivre ailleurs.

— Moi non plus! renchérit Teddy. Et savez-vous à quoi je pense? Quand Milton est arrivé ici, c'était un petit citadin puant et tartemu... » Il intercepta le coup d'œil de son père et escamota le mot. « Mais quand il est reparti, c'était un garçon très bien. Et toi, Erin, quand tu es partie, tu étais une fille très bien, mais maintenant que te voilà de retour, tu es devenue snob. Tu n'es plus aussi simple qu'avant. Peut-être que Milton et toi, vous devriez faire un échange. Milton devrait venir vivre avec nous et toi repartir habiter avec tante Peggy et oncle John. »

Erin ouvrit de grands yeux qui, presque aussitôt, s'emplirent de larmes.

« Teddy! s'exclama-t-elle. Tu voudrais me remplacer par Milton!

— Ben, j'ai pas dit ça! marmonna le gamin. Mais il me semble que ça te plairait. »

Erin traversa la pièce en courant pour se jeter dans les bras du docteur.

« Papa! Teddy voudrait m'échanger comme... comme une vulgaire marchandise! Et Vallie est furieuse contre moi. Est-ce que plus personne ne m'aime? »

Jocko et Sunshine se mirent à aboyer comme des fous et Cleveland, arraché à son sommeil, arqua le dos, pas content du tout. Val le prit et le caressa.

« Je ne suis pas furieuse contre toi, Erin,

déclara-t-elle. Tu es ma sœur et je t'aime beaucoup. Mais je craignais que tu ne nous reviennes transformée, et c'est ce qui s'est produit. » Une grosse boule menaçait de lui obstruer la gorge, mais elle réussit à dire encore : « Tout ce que je désire, c'est que les choses redeviennent comme avant !

— Vallie ! appela le docteur. Viens ici, mon petit ! Et toi également, Teddy ! »

Il s'était levé. D'une main, il tenait Erin contre lui. De l'autre, il faisait signe à Val d'approcher. Un instant plus tard, les trois enfants étaient blottis contre sa poitrine.

« Erin, commença-t-il avec douceur. Aucun de nous n'aurait supposé que ton retour créerait de tels heurts au sein de la famille. En dix jours, tu as beaucoup vu et appris et cela t'a transformée alors que, nous autres, nous sommes restés exactement les mêmes. Nous désirons que tu sois la petite fille que nous avons toujours connue... nous aimerions que tu ne grandisses pas. Mais nous aurions tort. Tout le monde doit grandir, ce qui ne signifie pas uniquement gagner en taille. Le problème est que tu as beaucoup grandi — disons évolué — en un temps très court. Il va falloir un moment au reste de la famille pour se faire à cette idée. »

Erin s'essuya les yeux.

« Mais Teddy a dit...

— Oh, c'était pour plaisanter, coupa le gamin. Je ne voudrais pas t'échanger contre Milton. Il s'est pas mal amélioré, d'accord! N'empêche que je n'ai pas envie de vivre tout le temps à ses côtés. » Il regarda Erin avec un sourire malicieux. « En ton absence, Erin, nous avons eu d'infects petits déjeuners, tu sais! Milt ne sait pas cuisiner du tout et Vallie fait tout brûler.

— Val n'a jamais su se servir du four à micro-ondes! dit Erin.

— C'est vrai, avoua Val en serrant sa sœur contre elle. Je suis une piètre cuisinière. Mais ce n'est pas seulement pour les petits déjeuners que je suis contente de ton retour. Ecoute, si tu y tiens vraiment, j'irai à New York avec toi l'été prochain rendre visite à tante Peggy et à oncle John. Je veux découvrir ce qu'il y a de si merveilleux là-bas. Comme ça, quand tu sera devenue une grande ballerine, j'aurai plaisir à venir te voir, même si tu ne possèdes pas d'animal de compagnie. »

Erin renifla.

« Je ne pourrai jamais vivre dans un appartement sans canari, avoua-t-elle. Et si tu m'amènes un cochon, eh bien, je me débrouillerai pour le caser quelque part. »

Val se mit à rire.

« Je te promets de ne jamais amener de cochon... mais peut-être bien Cleveland! »

Le docteur serra très fort ses enfants contre lui.

« Bienvenue à la maison, Erin ! dit-il.

— Bienvenue à la maison, petite sœur ! fit Val en écho.

— Ouais ! Bienvenue dans la baraque ! ajouta peu procolairement Teddy. Hé, vous autres ! je meurs de faim !

— Moi aussi, affirma Erin d'une voix qui chevrotait un peu. Je vais vite m'occuper du repas. Tu viens m'aider, Vallie ?

— Eh bien... pourquoi pas ? » Val passa son bras autour des épaules de sa cadette. « Et après dîner, tu pourras m'aider à donner à manger aux lapins ! »

Et les deux sœurs, bras dessus, bras dessous, se dirigèrent vers la cuisine.

SOAP

IMPRIMÉ EN FRANCE PAR BRODARD ET TAUPIN
Usine de La Flèche, 72200.
Loi nº 49-956 du 16 juillet 1949 sur les publications destinées à la jeunesse.
Dépôt : septembre 1990.